le bloc-notes de louise

Fan de luï

*Pour Zoé, Maxence, Alexandre
et Martin, nos futurs ados.*

le bloc-notes de louise

Fan de lui

Charlotte Marin

Marion Michau

illustré par Diglee

albin michel

Montez sur le grand 8
des émotions avec Louise!

Entre sa mèche rebelle et son sweat fétiche, son gloss nacré, sa chambre en friche et son sac customisé au tipex, *Louise*, 14 ans et demi, est une ado bien dans ses baskets, même si elle doute souvent de la pointure, de la couleur et de la marque. Elle a l'art d'enchaîner les galères, mais de s'en sortir toujours avec beaucoup d'humour.

Jeudi

Avec un j comme jour J

 **20h36**

Ça y est, j'y suis! Six mois que je fixe le compte à rebours que j'ai affiché sur ma page Facebook, que je surveille mes places comme si elles risquaient de s'autodétruire et, enfin, MOI, LOUISE MORTIER, 14 ANS ET DEMI, JE SUIS AU CONCERT DES CONNECTIONS[1]! J'arrive pas à le croire! La fosse du Nikaïa est tellement remplie que j'hésite à sortir une paille pour respirer mais, je ne vais pas me plaindre, toutes mes copines rêveraient d'être à ma place.

---

1. Même si les quatre chanteurs sont français, il faut prononcer «connekcheun'z» si tu veux avoir l'air cool.

Qu'est-ce qu'ils font les agents de sécu, là? Oh non! Ils rajoutent des barrières devant la scène, du coup on est obligés de reculer! C'était bien la peine d'arriver super-tôt pour être bien placés! Dans la bousculade, j'écrase le pied de ma grande sœur Margaux qui aboie:

– Aïeuu! C'est pas vrai, Louise, fais gaffe!

Elle me repousse, je perds l'équilibre et tombe dans les bras de Nathan. Comme c'est mon meilleur ami, c'est bon, y a pas de malaise: il me rattrape gentiment et me remet sur pied.

Les minutes recommencent à passer comme des heures. C'est pas vrai! Allez les Connections! C'est pas le moment de s'épiler le torse! Ma sœur nous a accompagnés, mais elle a déjà hâte que ça se termine. Elle a le nez sur l'écran de son iPhone. Il pourrait y avoir un tsunami, elle lèverait juste le bras pour qu'il ne soit pas mouillé.

Je repère des filles que je connais de vue (genre que j'ai croisées au collège, au centre commercial ou dans le vieux Nice). C'est dingue, j'ai l'impression qu'il y a un trucage, elles sont toutes pareilles : la petite frange, le jean ciré, le tee-shirt cool et les boots cloutées, aucune originalité. Moi, OK, j'ai mis des semaines à choisir ma tenue, mais au moins je fais la différence : jean brut, chemise à carreaux et boots à franges façon Pocahontas.

...

Qu'est-ce qui m'a pris de m'habiller comme une chanteuse de country ?

Penser à faire la tête à mes copines qui m'ont conseillée.

Bon, j'ai hyper soif ! J'hésite à aller me chercher une boisson dans le hall, pas sûr que je sorte vivante de la traversée et, surtout, pas sûr que je retrouve ma sœur et Nathan. La marée humaine est pleine de courants ici, c'est un coup à me retrouver écrasée sur le mur du fond. Et c'est là que Nathan sort des Coca Zero de son sac à dos. Il me tue! J'ai l'impression qu'il lit dans mes pensées. On s'est rencontrés il y a quatre ans au club hippique et, depuis, on est connectés. En plus, on habite le même pâté de maisons, c'est pratique pour se retrouver et aller, d'un coup de vélo, voir un film au Rialto, manger une glace sur la promenade des Anglais, profiter des premiers jours d'été à la plage, bref, traîner ensemble. Ça reste un garçon, hein, mais il est quand même...

LES LUMIÈRES S'ÉTEIGNENT!

Je crie à Margaux:

– Arrête de checker tes mails et filme!!!

Elle lève la main genre « deux secondes ». Ce qu'elle peut m'agacer! Oui, même ce soir où elle a fait l'effort de nous accompagner (à la demande de maman, hein, je précise). L'intro de *Carpe Diem* commence et, tout à coup, c'est la folie! Je me mets à hurler en sautant sur place!

Penser à ne pas ouvrir mon Coca tout de suite.

Sur un écran géant, un immense «C» s'illumine et se met à tourner. Ça devient un labyrinthe qui débouche sur une galaxie et là, des faisceaux lumineux traversent l'écran et m'éblouissent.

C'est é-nor-mi-ssime!

Quatre sphères montent du sol et s'ouvrent en laissant échapper une grosse fumée blanche. Waouhhh! Les silhouettes des Connections apparaissent: FX, Vince, Syl... et Rickyyyyyy! Je suis en transe! Ils se mettent à chanter et, autour de moi, c'est «H&M premier jour des soldes», mais puissance mille! Tout le monde se pousse pour être au plus près de la scène. Je tamponne mes voisins de gauche et de droite comme une boule de flipper, on perd encore du terrain, je m'agrippe au bras de ma sœur et attrape la main de Nathan. C'est parti pour une soirée déliiiiiire !

♥ 21h45

Les morceaux s'enchaînent et les fans tombent comme des mouches. Les pompiers passent d'abord avec des verres d'eau, puis carrément avec des civières. Moi, je tiens bon, pas moyen que je loupe une note de ce concert historique. Je me casse la voix sur *SOS* et me brûle le pouce sur *Jamais sans toi* en brandissant le briquet que j'ai acheté exprès. J'ai lu sur le forum que leur concert au Stade de France avait duré trois heures. Si je veux tenir, il faudrait peut-être que je me calme, que j'arrête de tout trouver géniiiial, mais c'est plus fort que moi, Ricky est en face de moi ! Ses paroles me touchent tellement, on dirait qu'elles ont été écrites pour moi...

JE RÊVE OU IL ME REGARDE, LÀ ?!

Nan, avec les spots qu'il a dans les yeux, c'est humainement impossible... mais qui a dit que Ricky était humain ?! Dans le doute, je me recoiffe. À cette distance, c'est plus Ricky, c'est « Riquiqui », je vois à peine ses fossettes craquantes, mais bon, je le connais par cœur de toute façon : sa coupe trop stylée, ses yeux bleus, son sourire sublime, tout quoi ! À la maison, j'ai un énorme cahier à spirale où je colle tout ce qui le concerne. Il est super-complet : son enfance à Chambéry, son accident, sa carrière de skieur brisée, ses doutes, ses rêves, son signe astrologique qui déchire (Taureau ascendant Lion, tout est dit). Sans me vanter, c'est un genre de *Ricky pour les Nuls.*

FX se lance dans son solo guitare. J'en profite pour ouvrir ma canette de Coca qui m'explose au visage (j'avais *forget, forgot, forgotten*). Nathan passe direct en MDR XXL. J'aurais été dégoûtée que ça m'arrive au début du concert quand la fosse embaumait le Sephora, mais là, on transpire tellement que ça ne change pas grand-chose! Du coup, ça me fait marrer aussi.

Les Connections attaquent leur nouveau single, il se met à pleuvoir des confettis argentés. L'ambiance est magique! J'ai des petites ailes qui me poussent dans le dos. C'est vraiment la plus belle soirée de ma vie... et elle ne fait que commencer!

★★★ 22h58

Je sors du concert avec des étoiles plein les yeux, les pieds qui fument et la voix cassée. Il a beau faire nuit, il fait encore chaud. Margaux regarde sa montre :

– Bon allez, on traîne pas là, j'ai une vie aussi, vous êtes gentils !

Je ne sais pas comment lui annoncer que Nathan et moi, on est prêts à attendre le temps qu'il faudra pour arracher un autographe à Ricky. Pendant qu'elle brasse le fond de son sac pour retrouver les clés de la voiture, je cherche les mots qui vont faire mouche :

– Dis donc, Margaux, je me demandais... heu... tu bosses tôt demain matin ?

– Je te le dis tout de suite, on n'attendra pas pour l'autographe.

Démasquée. Elle me connaît vraiment par cœur, c'est insupportable. Je ne voulais pas en arriver là, mais je suis obligée d'envoyer du lourd :

– S'te plaît ! Je te jure, tu ne feras rien pendant une semaine, dès que maman demandera un truc, genre vider le lave-vaisselle, étendre le linge, je le ferai !

– Nan.

– Pendant deux semaines !

– Nan.

– Je changerai les draps de ton lit ! Je rangerai ta chambre !

– Je t'interdis d'entrer dans ma chambre.

– D'accord, je ne rentrerai plus dans ta chambre !

– ... Et tu me piqueras plus de fringues ?

– Plus jamais !

– ... Même pas mon pull à paillettes ?

Je prends sur moi :

– Même pas.

Je sens que ma sœur commence à réfléchir. Le regard de Nathan passe d'elle à moi comme s'il était à Roland-Garros. Je tente la balle de match :

– Et je te ferai une orange pressée tous les matins.

Elle sort les clés de son sac et s'en va en lançant :

– OK, je vous attends dans la voiture, vous avez une heure.

Ouf ! Heureusement qu'elle a cédé avant que je lui propose de lui mettre du vernis sur les ongles des pieds ! J'attrape le bras de Nathan et on speede vers la sortie des artistes.

Inutile de dire qu'on n'est pas les seuls à avoir eu l'idée. Après un rapide calcul (sûrement faux, vu ma moyenne en maths), il y a vingt fans au mètre carré qui trépignent derrière des barrières. Un des agents de sécurité nous confirme qu'il est question que, peut-être sur un malentendu, ils viennent signer quelques autographes. OK, c'est pas gagné. On prend notre mal en patience. Une petite pluie fine se met à faire moutonner mon brushing. Si par bonheur Ricky se pointe, je me demande bien comment il va me remarquer. Je ne me suis jamais sentie aussi quelconque : ni grande, ni petite, ni grosse, ni maigre, les yeux marron, les cheveux châtains, ni vraiment ondulés, ni vraiment raides, un petit accent niçois charmant pour certains, exaspérant pour d'autres, deux piqûres de moustique à la place des seins et la bouche en fente de tirelire. Je me remets discrètement du gloss.

Nathan me vanne :

– Fais gaffe, ça risque de coller s'il t'embrasse.

– Ha ha ha, trop drôle.

Je pique un fard malgré moi. Il passe son temps à me basher, mais c'est ça que j'aime bien chez lui. Il ne prend jamais rien au sérieux. En plus, ce soir, il a l'immunité parce que, sans lui, j'aurais jamais eu de places pour le concert. Le samedi de la mise en vente, j'ai débarqué comme une furie à la Fnac. D'après la vendeuse (une teigne avec une verrue atroce sur la lèvre), les neuf mille places étaient parties en vingt minutes, un vrai raz de marée... comme sur mes joues dès que je suis sortie du magasin. Pourtant, j'avais coché la date en rouge sur mon calendrier, mis mon réveil à l'aube, pris une seule tartine de Nutella, mais ça n'a pas suffi. Mes places étaient parties en fumée. Trop écœurée.

Attention, je ne suis pas du genre à lâcher l'affaire, je ne m'appelle pas Louise Mortier pour rien : quand je veux quelque chose, j'agis avec la délicatesse d'une grue de démolition. Je suis allée sur tous les forums, sur tous les sites de revente, j'ai même essayé de racheter plus cher les places de Léa, une fille qui est en quatrième B (elle m'a dévisagée comme si je lui demandais de me prêter un bras pour le week-end). Non, il fallait que je me rende à l'évidence : les Connections allaient faire un concert à Nice et je serais sous ma couette en train de mourir, à seulement quelques kilomètres d'eux.

J'errais à la maison comme un zombie, j'écoutais leurs albums en boucle rideaux fermés dans ma chambre, je m'habillais en noir, j'ai même perdu cinq cents grammes ! Cela dit, j'aurais pu avoir des poils sur la langue, mes parents ne s'en seraient même pas aperçus. Ma sœur passait son permis et son bac blanc le même mois, autant dire que j'étais la cadette de leurs soucis. Bref, tout ça pour dire que j'avais vraiment pas la pêche à la fête de mes 14 ans et, à moins d'une greffe de sourire, c'était pas près de changer.

J'ai soupiré sur mes bougies plus que je ne les ai soufflées. Nathan m'a tendu une enveloppe. Je l'ai prise d'une main molle en pensant que c'était encore des tickets à gratter et là, le choc : trois billets pour le concert ! J'ai à peine réussi à balbutier :

– T'es sérieux, là ?

Nathan a souri, content de lui.

Je les ai reniflés, soupesés, mis à la lumière, incroyable, C'ÉTAIT BIEN DES VRAIS ! Comment il a réussi à me décrocher ces passeports pour le paradis ?!

– Trois billets en plus !? Mais tu t'es ruiné !

Nathan a fait un clin d'œil à ma mère. Incroyable ! Ils étaient de mèche et je n'ai rien vu. Maman ne montre tellement pas ses sentiments que, parfois, j'oublie à quel point elle assure. Pour être sûrs de ne pas passer à côté des Connections, ils se sont rejoints au petit matin devant la Fnac. Il paraît qu'ils étaient les premiers sur zone !

– C'était une idée de Nathan, précise ma mère.

C'est à cet instant qu'il est passé de « mon pote » à « mon meilleur ami ».

♡ **23h50**

La bruine s'est arrêtée, heureusement parce qu'on était à deux doigts de sortir les gels douche. La moitié des fans ont lâché l'affaire, enfin, c'est surtout leurs parents qui ont perdu la foi. Ce qui fait qu'on est un peu moins nombreux, c'est déjà ça ! Il ne reste plus que les vraies, les pures et dures comme moi ! Oh non, je vois ma sœur rappliquer d'un pas décidé. Je me mets à fixer la porte comme si j'avais un pouvoir magique.

Allez, allez, allez, allez... Sésaaame !

Ma sœur pose sa main sur mon épaule. Temps écoulé. J'échange un regard dégoûté avec Nathan et m'apprête à ranger mon bloc-notes et mon Bic quand LA PORTE S'OUVRE !!!!!!

Les Quatre Fantastiques se matérialisent devant nous !

Le temps que nos cerveaux analysent cette information de dingue et c'est l'émeute, ça hurle, ça pousse, ça pleure. On est tous les trois compressés contre les barrières. FX s'approche. Nouveau mouvement de foule. Je fais tomber mon stylo dans l'allée. Ni une ni deux, je m'accroupis et passe mon bras à travers la barrière pour essayer de le ramasser. Une fille s'assoit presque sur ma tête, une autre me coupe la respiration d'un coup de coude dans le dos. C'est pire qu'une mêlée de rugby. Je tends le bras au maximum, il me manque une phalange pour... De l'autre côté de la barrière, une main prend le Bic. Je relève la tête.

C'est Ricky...

Je scotche, bouche ouverte. Je n'entends plus rien, tout ce qui nous entoure devient flou et bouge au ralenti. Il me rend mon stylo avec une élégance dingue. On se relève tous les deux et alors là, je ne sais pas comment, mais sa mèche de devant se prend dans le bouton de ma veste en jean. Ricky laisse échapper un petit « aïe » qui me fend le cœur. Il tire d'un côté, je tire de l'autre en priant pour que mon bouton cède avant son cuir chevelu. Je ne sais plus où me mettre. Il gémit le plus dignement possible. C'est un cauchemar, je suis juste en train de torturer l'homme que j'aime sous le regard horrifié de tout le monde.

Deux gardes du corps interviennent enfin (bravo, les gars, j'aurais eu le temps de le poignarder dix fois) et nous séparent d'un coup sec. Ricky ravale sa douleur et, contre toute attente, me sourit.

Attends, il ne me déteste pas ?

Il me regarde longuement (enfin deux secondes éternelles pour moi) et intensément (avec ses yeux, quoi). Qu'est-ce qu'il y a ? Je lui fais penser à quelqu'un ? Il veut retenir les traits de mon visage pour faire un portrait-robot à la police ?

Il me… parle !

– C'est quoi, ton prénom ?

Je me surprends à réfléchir :

– Heu… Louise.

Mes mains se crispent sur mon bloc-notes et mon stylo.

Il me prend mon carnet, me signe un autographe, me fait un clin d'œil et passe à ma voisine. La Terre se remet à tourner et le bouton du volume aussi. Je reste là, plantée au milieu des hurlements. Waouh, la grande classe !

 0h14

Je sors de mon semi-coma et me rends compte qu'on est sur l'autoroute. Je ne me souviens même pas d'être retournée à la voiture. Est-ce que j'ai été portée, roulée, traînée ? Aucun souvenir.

J'ai rêvé ou Ricky m'a caressé l'avant-bras en me rendant mon bloc-notes ? J'ai dû rêver. Je prends la conversation en cours. Nathan et ma sœur s'en donnent à cœur joie, évidemment :

– Toi qui voulais qu'il te remarque, c'est réussi.

– Le coup du stylo qui tombe, c'était un peu « tiré par les cheveux », non ?

Qu'est-ce qu'ils sont lourds ! J'aurais tellement préféré y aller avec ma bande de copines, surtout avec Candice qui est super-fan de Syl, mais elles ont toutes OSÉ partir en vacances en m'abandonnant comme un chien au bord de l'autoroute. Cela dit, c'est elles qui vont être vertes quand je vais leur raconter. Dire que je l'ai touché, je lui ai parlé, je l'ai même scalpé ! Et le pire, c'est qu'à part l'autographe et trois cheveux enroulés autour de mon bouton, je n'ai aucune preuve, pas une photo, pas une vidéo de notre rencontre.

Je coupe ma sœur qui est encore en train de faire des blagues vaseuses :

– T'as filmé au moins ?

– Quoi, cette rencontre «échevelée» ? Bah non. C'est bête parce que j'aurais fait direct un million de vues sur YouTube.

Ah, oui, tiens, c'est vrai que c'est peut-être pas plus mal qu'il n'y ait pas de traces.

Nathan fait alors un truc que je ne pensais pas possible ce soir : il parle d'autre chose que du concert, à savoir, de son concours hippique de samedi. Ma sœur lui pose plein de questions. Désolée, les amis, mais moi, j'ai envie de rester sur mon petit nuage. En plus, je connais déjà les réponses. Je sors mon lecteur MP3, prends mes écouteurs et me remets sous perfusion des Connections.

Ma sœur se gare devant chez Nathan. Je descends, le remercie encore pour cette soirée géantissime et m'approche de lui pour lui faire la bise. Il recule d'un pas :

– Attends, Louise, tu peux enlever ta veste, s'il te plaît, je tiens à mes cheveux.

– Tu devrais faire un one-man-show...

On s'embrasse, je lui conseille de mettre un dernier coup de cravache avant son concours et je remonte dans la voiture. Margaux démarre et roule en me regardant du coin de l'œil.

Ce qu'elle peut m'agacer décidément. Je soupire :

– Quoi encore ?

– Rien.

– C'est ça, vas-y, accouche.

– Il te kiffe.

– Qui ça ?

– Nathan.

– Bah, moi aussi je le kiffe.

– Fais pas semblant de pas comprendre, il te kiffe genre il te kiffe quoi.

– Pfff, rien à voir.

– Ça crève les yeux.

– C'est mon meilleur ami.

– Ouais bah, ton meilleur ami, il deviendrait bien ton «petit copain», si tu vois ce que je veux dire.

– Pas du tout, mais alors là, c'est n'imp' de chez n'imp'!

– Je te dis que si.

– Et moi je te dis que non!

– Et moi je te dis que si.

– Et moi je te dis que non!

– Excuse-moi, mais tu vois pas que les places pour les Connections, c'est une déclaration?

– Mais tellement pas! Lui aussi il les adore!

– Ah bon ? Parce que pendant tout le concert, c'est toi qu'il regardait.

– Attention, t'as failli griller le feu.

– Change pas de sujet.

– Je change pas de sujet.

Si, je change de sujet parce que ça me gêne trop. Nathan, c'est mon pote, il m'a vue en jogging, avec un bonnet de bain à la piscine, à cheval sous une bombe (et y a plus sexy que d'avoir les cheveux collés et de sentir le canasson). Il n'est pas moche, au contraire il est même plutôt mignon si on aime les blonds avec des taches de rousseur. En plus, il est drôle, sympa, franchement, c'est un bon plan. D'ailleurs, Candice l'avait envisagé à une époque. J'avoue que j'ai pas trop aidé au truc, c'est un coup à perdre ses deux meilleurs amis en même temps. Bref, j'adore être avec lui, mais je n'ai aucune envie de penser qu'i' pourrait être *in love* de moi.

On n'en parle plus.
Point.
Il me kiffe ?
Mais non.
Point barre.

 0h40

Quand on rentre, les parents sont encore debout. Ça ne m'étonne pas. Déjà quand Margaux sort, ils n'arrivent pas à fermer l'œil avant d'avoir entendu le « clic » de la porte d'entrée, alors avec moi, j'imagine même pas. Ce qui est marrant, c'est qu'ils nous la jouent hyper-détendus : ma mère corrige les copies du bac et mon père est encore en train de somnoler devant un documentaire animalier (ce soir, au programme, la reproduction de la petite belette d'Amazonie, youpi).

Mon père se redresse :

– Alors, comment c'était ce concert des Conceptions ?

Je lève les yeux au ciel :

– Connections, papa.

Plus petite, j'aurais tout raconté dans les moindres détails mais, depuis quelques mois, c'est comme si j'avais posé une clôture autour de mon jardin secret. Les Conceptions... Ils ne comprennent rien de toute façon. J'écourte la convers' :

– C'était cool. Bonne nuit p'pa, bonne nuit m'man !

Je rajoute un « Merci Margaux » pour son rôle de chaperon et me réfugie entre mes quatre murs tapissés d'affiches des Connections. J'aimerais tellement tchatter avec mes copines mais, vu l'heure, ma mère a déjà coupé la box (sinon je passerais la nuit sur mon ordi). Je scotche les trois cheveux de Ricky sur une petite feuille, la glisse dans mon cahier, puis sors l'autographe et le déplie...

Pour LISE ?! QUOI ?!!!!!!!!!

Je lis, relis, lettre par lettre, fais une étude de texte, un commentaire composé, une dissertation, pas de doute, il s'est trompé. Consternation... Comment il a pu mal entendre ? C'est un musicien, il a l'oreille absolue normalement... J'ai dû avoir une extinction de voix à ce moment-là... Bon... Je punaise le papier au-dessus de mon lit. Ça reste quand même son écriture et presque mon prénom.

Penser à articuler quand on est au bord de tomber dans les pommes.

 1h22

Impossible de dormir. J'entends encore les basses du concert dans le silence de ma chambre. Ricky me sourit de son poster géant. Dire que je n'ai pas pu prendre une seule photo. J'en peux plus du vieux Nokia que m'a refilé ma mère. Elle m'a promis un smartphone pour mes 15 ans. Vivement que je l'aie parce que là, ça devient une question de survie.

Le téléphone de la maison sonne. Ça doit être encore une urgence vétérinaire. Mon père est tellement passionné par son boulot qu'il se relèverait la nuit pour une griffe retournée ou pour faire un implant de moustaches à un chat qui aurait perdu l'équilibre. Pour les gens du coin, mon père, c'est LE véto incontournable, le sauveur, le héros malgré lui.

Je change de position pour essayer de trouver le sommeil, mais je suis la conversation malgré moi.

– Bonsoir, monsieur... Non, je vous en prie... Un furet, oui, qu'est-ce qu'il a ? Hum...

je ne peux rien vous dire au téléphone, il faudrait que je le voie... C'est qui, Yves? Ah, c'est le nom du furet, d'accord.

Je me redresse dans mon lit. UN FURET QUI S'APPELLE YVES?! Il y a combien de furets qui s'appellent Yves sur Terre? Je demande ça parce que Ricky en a un! Baptisé du nom de son premier prof de ski (quatrième page de mon cahier), mais je dois être en train de rêver. Je me lève, m'éclate le pied contre la chaise de mon bureau, étouffe un hurlement. OK, cette fois, je ne rêve pas. Je colle mon oreille à la porte. Mon père est très posé:

– Vous avez de quoi noter?

Il dicte notre adresse.

– C'est bon? Vous avez tout? À tout de suite alors.

Il raccroche et m'appelle direct:

– Louise, je t'ai entendue te lever. Je sais que tu écoutes derrière la porte.

Je l'entrouvre et lui souris. Il me sourit à son tour. Je balbutie :

– Est-ce qu'il se passe bien ce que je crois qu'il se passe ?

Mon père acquiesce :

– Il arrive dans quinze minutes.

WHAAAAATTT !!!

C'est bien ça ! Ricky des Connections, « mon » Ricky, le garçon le plus sexy de la Terre, va débarquer chez moi, là, maintenant, tout de suite, et je suis en pyjama, sans mascara et en « no coiffure » totale !

AAAAAAAHHHHH !!!

Je referme la porte, traverse ma chambre et éventre ma penderie pour trouver la tenue parfaite : décontractée genre « j'allais me coucher », mais sexy genre « j'y peux rien si j'ai un corps de danseuse ».

Non, mais... Mais c'est pas mon placard, c'est pas possible !!!! Quelqu'un est venu dans mon dos et s'est vengé !!! Qu'est-ce que c'est que ce ramassis de fringues ? Qui a replié ce pull avec une tache de sauce tomate en plein milieu ? Et cette jupe, à quel moment sa fermeture Éclair a craqué ? Ah... cette combi est pas mal, je l'avais oubliée, tiens.

Je commence à l'enfiler, j'y crois pas : criblée de trous de mite ! Bou hou... J'ai vraiment riiien à me mettre !

Penser à claquer le chèque-anniversaire de mes grands-parents dans une énorme journée shopping !

Je ne peux quand même pas taper dans l'armoire de Margaux... Quoique, en me glissant furtivement avec une lampe torche... Nan, pas le temps et surtout, pas de lampe.

Je me rabats sur mon débardeur blanc à fines bretelles, avec mes guêtres et mon legging rose, ça devrait le faire. Une fois habillée, j'ai un doute, mais tant pis, il va arriver. Je me plante devant le miroir, fais tomber une bretelle, la remets, fais tomber l'autre, la remets, penche la tête... et j'ai plus le temps! Je m'attaque à la coiffure. Je tente la raie à gauche, à droite, le chouchou, la barrette, la pince, le chignon serré, le donut, la demi-queue... Je ne ressemble à rien. Je natte vite fait mes cheveux sur le côté, pas mal, mais qui se couche avec une natte? En même temps, j'ai pas mieux en magasin. En attrapant mon mascara dans ma trousse de toilette, je tombe sur mes ciseaux à ongles. Et là, j'ai l'idée du siècle! Une frange! Une petite frange comme ça, l'air de rien. Mais bien sûr! Je défais ma natte, prends un peigne, me lisse la mèche de devant et coupe à hauteur des sourcils. Je regarde le résultat... Un monstre.

J'égalise, désépaissis, dégrade... Maman m'a dit que la tarte Tatin était née d'une erreur, alors rien n'est perdu! Po-si-ti-ver! Je vais peut-être inventer la nouvelle frange, qui sait? J'imagine déjà toutes les filles du monde s'asseoir chez leur coiffeur:

– Bonjour, je voudrais une «louisette», s'il vous plaît?

Arrête de divaguer, Louise! Concentre-toi. Mon imagination me fait peur quand elle se met en pilotage automatique.

Je dégrade un peu plus (c'est le cas de le dire). Rien n'y fait, c'est même pire, j'ai un petit balai-brosse sur le front. Je fondrais bien en larmes, mais j'ai peur d'avoir les yeux qui gonflent, déjà qu'ils ne sont pas très ouverts à cette heure.

♥ 1h46

Compte tenu de ma *fan attitude,* mon père accepte que j'attende avec lui et de recevoir Ricky dans le salon plutôt que directement dans son cabinet. J'ai la frange au garde-à-vous et papa ne s'en est même pas rendu compte. Les pères passent toujours à côté de ce genre de drame... Je ne sais pas trop quoi faire de mon corps. Je m'assois dans le canapé, puis sur l'accoudoir, puis sur le dossier. Si je m'écoutais, j'irais me cacher derrière le rideau. Et bouh! En mode j'ai 8 ans, je lui colle la trouille de sa vie quand il arrive. Allez, non, je vais l'accueillir dans l'entrée, genre «bon esprit» quoi.

Je me regarde dans le petit miroir du porte-manteau. Franchement, est-ce que c'était le bon soir pour revisiter ma coiffure? Je lèche la paume de ma main et essaie d'aplatir ma frange rebelle, mais c'est comme si elle était montée sur ressort. Je ne peux pas le recevoir comme ça, c'est impossible.

On sonne à la porte. Je fais un bond de deux mètres. Je panique, cours dans tous les sens (comme une oie à qui on a coupé la tête), attrape un bonnet et l'enfonce sur ma tête. Mon père me regarde bizarrement et ouvre la porte. Ricky entre, encadré par deux gardes du corps. J'ai l'impression d'entendre chanter les chœurs de l'Opéra vu la beauté du moment. La musique s'arrête net quand je vois la tête de mon idole. Super-inquiet, il passe devant moi sans me voir (c'est peut-être pas plus mal) et dépose sur la table du salon un pull dans lequel il a emmailloté son furet.

Mon père se penche sur l'animal :

– Il a vomi, c'est ça ?

– Oui, des boules bizarres.

Papa l'ausculte et émet un rapide diagnostic, enfin je crois, je suis tellement captivée par Ricky que tout le reste me passe au-dessus du bonnet. Apparemment, Yves souffrirait d'une intoxication alimentaire. Mon père va lui faire un lavage d'estomac et le garder en observation pour la nuit. Il pose la main sur l'épaule de Ricky (la chance) et lui dit de retourner à l'hôtel, il le tiendra au courant.

Ricky secoue la tête :

– Je suis trop stress, je préfère encore dormir dans la voiture.

Mon père lui propose le canapé du salon. Mais bien sûr, n'importe quoi ! Pourquoi pas un lit pliant dans ma chambre pendant qu'on y est ?

J'entends Ricky répondre :

– Avec plaisir, monsieur, merci beaucoup.

Je fais un mini-arrêt cardiaque. Mon père me fait repartir le cœur :

– Louise, tu peux aller chercher les draps pour le canapé, s'il te plaît ?

Moi qui traîne toujours la patte pour rendre service, je file dans la buanderie pendant que Ricky dit à ses gardes du corps de rentrer se coucher. Faut croire qu'il se sent en sécurité ici. Ça fait plaisir. Je reviens ventre à terre, le visage enfoncé dans une montagne d'oreillers et de couette. Je balance le tout sur le canapé. Ricky pose enfin les yeux sur moi. J'en profite pour lui glisser :

– C'est encore moi !

Il fronce les sourcils :

– On se connaît ?

– Oui, enfin… surtout moi… enfin, je te connais plus que tu ne me connais.

Il me regarde plus attentivement :

– En même temps, tu me dis quelque chose…

Il se touche la mèche en grimaçant imperceptiblement.

– … Ah ouais, ça y est, ça me revient.

J'ai les oreilles qui chauffent. Heureusement, mon père détourne son attention :

– Je vais m'occuper de votre furet dans mon cabinet. C'est juste à côté.

– Je peux venir ?

– Non, je préfère que vous restiez là. Il y a plein d'animaux là-bas. Comme ils ne vous connaissent pas, ils risquent de hurler et de réveiller tout le voisinage. Ne vous inquiétez pas, tout va bien se passer. Couchez-vous tranquillement. On se voit demain matin.

Mon père s'en va en emportant Yves dans ses bras et me laisse... seule avec Ricky ?! Et si j'allais me réfugier dans ma chambre ? Nan, je ne peux pas, je n'ai pas le droit. J'ai la chance de l'avoir rien que pour moi, il faut que je tienne le coup ! Dire qu'il y a trois heures j'étais en train de hurler son prénom dans une fosse remplie de fans hystériques et que maintenant on se retrouve tous les deux en tête à tête dans mon salon !

J'essaie de prendre un air détaché :

– Tu veux boire quelque chose ?

– Non merci. Désolé, je suis un peu en *bad* à cause d'Yves. En plus, je suis mort, donc je vais aller me coucher, là. Le prends pas mal, hein.

– Ah non, non, pourquoi ? Je comprends très bien.

Je tente de prolonger l'instant :

– Tu veux peut-être boire un petit truc quand même, non ? T'as chanté comme un dieu, enfin... comme un dingue, pendant des heures, en plus l'air est très sec ici, tu vas voir on a vite soif...

Penser à arrêter de parler quand on n'a plus rien à dire.

– ... y a un problème d'aération dans cette pièce, elle est trop bien isolée, donc l'air circule pas et puis les gros rideaux là, ça aide pas...

– Bon bah d'accord, dit-il pour me faire taire.

– OK! Tu bois quoi alors ?!

– Ce que tu veux.

Ce que je veux ? Qu'est-ce que Ricky des Connections a envie de boire à 2 heures du matin ? S'il veut un whisky-Coca et que j'arrive avec un jus multivitaminé, je vais vraiment passer pour une gamine. Je recoupe toutes les infos que j'ai sur lui dans mon ordi interne. Il est hyper-sportif (donc pas alcool). Il adore faire la fête (donc alcool). Il est stressé pour son furet (donc alcool), mais il est sur le point de se coucher (donc pas alcool). Un pas en avant, un pas en arrière, je fais du step quoi, en même temps, ça va bien avec mon legging.

Je vais dans la cuisine, sors un plateau et décide d'y mettre toutes les bouteilles à dispo : jus d'orange, sirop de menthe, Coca rouge, Coca Zero, whisky, gin, tequila, huile d'olive... OK, faut que je me rassemble. J'enlève l'huile et tente de soulever le plateau. Il est tellement lourd qu'il est comme soudé à la table. Je suis obligée de faire un choix. Mon père me dit toujours : « Choisir, c'est grandir », mais bien sûr... Je prends une grande inspiration et me jette à l'eau, mais je la choisis pétillante ! Je lui prépare un verre de Badoit avec un trait de citron et son glaçon. Simple, élégant, léger : intemporel, quoi. Je le lui apporte en contournant le tapis pour que ça ne finisse pas en douche citronnée. Il me remercie, prend le verre, boit une minus gorgée et le pose sur la table.

Super. Tout ça pour ça...

Il me sourit, mais je devine à ses yeux rouges qu'il a envie de se coucher. Je ne peux pas faire semblant de l'ignorer. Je prends ma déception à deux mains :

– Bon bah, je vais aller me coucher.

– OK, merci pour tout. Bonne nuit.

– Bonne nuit.

Je ne sais pas comment prendre congé.
Je ne vais quand même pas lui claquer la
bise. J'opte pour un geste de la main le
plus gracieux possible et me dirige à re-
culons vers ma chambre. Il sort son portable et lit ses textos. J'ai compris le message : il faut que je dégage. Juste avant de
disparaître, je ne peux pas m'empêcher
d'ajouter :

– Si tu as besoin de quelque chose, tu sais
où je suis.

Et là, je lui fais un clin d'œil d'une bolosse-
rie totale et referme ma porte. Un clin d'œil ?!
Au secours... On ne peut pas rester sur ce
mauvais souvenir. Il faut que je rattrape le
coup. Un peu comme la fille qui étale une
tache en voulant l'effacer, je ressors :

– Hé, Ricky ?
Il relève la tête :

– Ouais ?

– ...

Je le fixe intensément. Rien ne me vient.

Penser toujours à préparer une phrase quand on s'apprête à parler.

Il répète :

– Ouais ?

Je sèche. Gros silence. Le tic-tac de l'horloge me donne une porte de sortie :

– Elle te dérange pas, l'horloge ?

– Quelle horloge ?

– Bah celle-là, regarde.

En impro totale, je traverse le salon, prends une chaise, monte dessus et décroche la petite horloge qui n'avait rien demandé. Je descends et m'assois à califourchon comme si j'allais entamer une choré de cabaret. Pourquoi ? Une fraction de seconde, j'ai dû penser que ça ferait cool. Il me sourit, mais je vois bien qu'il a hâte que ça se termine.

– Bon... bah... je vais mettre l'horloge dans ma chambre, comme ça elle t'ennuiera plus.

– Oh tu sais, elle ne m'ennuyait pas.

Sous-entendu : « Elle ne m'ennuyait pas, elle » ? Je me le tiens pour dit et repars dans ma chambre avec le même geste de la main qui a un peu perdu de sa grâce.

C'est quand même débile. Je ne peux pas croire qu'on n'ait rien à se dire. Je connais tout de lui et il a tout à apprendre de moi ! On a mille sujets de conversation ! Et je vais le prouver !

Je repasse la tête dans le salon :

– Ricky ?

– Heu... oui ?

– Je voulais juste te dire, j'adore ce que tu fais... même si je sais que tu voulais être champion de ski... et que tu as passé ton enfance à Chambéry... avec ta mère, Nadine, et ton petit frère Damien.

– Heu... Merci.

– ...

– ...

Mince, ça ne prend pas. J'attaque par la face nord :

– Je surkiffe le ski !

– Moi aussi, mais je peux plus en faire.

– ... Ah bah oui, bien sûr !

Quelle grosse nulle... Je sais que c'est *the* sujet à éviter et je mets mes gros après-skis dedans ! Il est vraiment temps que j'aille me coucher. Je lui refais un petit geste plus du tout gracieux et m'éclipse.

J'ai été mauvaise. Encore pire que pour mon exposé sur la monarchie constitutionnelle en France. Je me mettrais 2/20 (pour le courage). Je donnerais tout pour retourner dans le salon, mais c'est impossible, je suis grillée, cramée, carbonisée. Je ne peux plus ressortir même pour aller aux toilettes. Prétexter de changer les piles de la télécommande ? Non. Lui filer un oreiller en plumes d'oie, j'en parle même pas.

C'est mort.

Dead (LV1).

Muerto (LV2).

Je me glisse sous ma couette et tends l'oreille. Je n'entends rien, rien de rien... de rien. En même temps, à travers la porte, il faudrait avoir des tympans bioniques pour l'entendre se gratter... J'en reviens pas. Jusqu'ici, j'avais Ricky en affiche, en calendrier, en gomme, en trousse, en règle, en carnet et ce soir, je l'ai en vrai ! Enfin je l'ai... Je me refais notre conversation. J'ai vraiment pas assuré une cacahuète. Comment je vais réussir à dormir ? Je tourne dans mon lit, j'ai chaud, j'ai froid, je mets une jambe par-dessus la couette... Si seulement je pouvais refaire le match :

LUI : Ah mais oui, on s'est vus au concert ! C'est marrant comme coïncidence !

MOI *(totalement détendue)* : Tu m'étonnes !

LUI : T'as sommeil ?

MOI : Grave pas ! Je te sers un truc à boire ?

LUI : Un jus multivitaminé, t'as ?

MOI : C'est parti pour deux multi ! En revanche, je vais enlever mon bonnet, j'en peux plus. Je me suis saccagé la frange, mais on s'en fiche.

Je le jette à travers la pièce.

LUI : Montre. N'importe quoi, ça se voit à peine. T'es hyper-jolie.

MOI : Arrête ! Bon, je vais nous chercher des munitions et on se mate un film, ça te dit ?

LUI : Carrément, mais on peut discuter aussi si tu veux.

MOI : Ça me va aussi.

Et comme ça, à base d'éclats de rire et de confessions, jusqu'à ce que :

LUI *(vautré dans le canapé)* : Tu dors ?

MOI *(la tête sur son épaule)* : Presque.

LUI : Bonne nuit alors.

MOI : Bonne nuit.

Tic-tac de la pendule.

LUI : Louise ?

MOI : Oui ?

LUI : Non, rien.

MOI : Bah si, vas-y.

LUI : Tu m'écrases le bras.

Rires. Je change de position.

LUI *(déposant un baiser sur mes lèvres)* :
Bonne nuit.

MOI *(jubilant)* : Bonne nuit, Ricky.

Vendredi

Le lendemain qui chante

★ 8h04

Je sors de ma chambre limite en robe de soirée. J'ai mis un petit bandeau assorti pour planquer ma frange. Premier réflexe: aller vérifier que je n'ai pas rêvé. Non, non, c'est bien ça, Ricky des Connections dort dans le canapé de mon salon. Je scotche. Qu'est-ce qu'il est beau, mais qu'est-ce qu'il est beau, pas un ronflement, pas un filet de bave séchée, pas une odeur de pied, rien: le mec parfait!

Il faut absolument que je prenne une photo tout de suite, sinon personne ne va me croire.

Je débarque dans la cuisine. Mes parents me scannent de la tête aux pieds et se marrent. Je les calme tout de suite.

– C'est quoi, le problème ? Il y a une loi qui interdit de se faire belle à 8 heures du matin ?

Je ne cherche même pas à argumenter. Je fais main basse sur l'iPhone de ma sœur branché près de la machine à café, retourne dans le salon, m'approche du canapé sur la pointe des pieds et là, grande promo sur le n'importe quoi, je pose une fesse à côté de Ricky et tente un selfie de ouf : lui et moi, tête contre tête, endormis. Les copines vont en avaler leur portable !

Le déclenchement de la photo le réveille. Je bondis, balbutie une explication vaseuse :

– Hé ! Salut ! Une photo au réveil et ta journée se passe à merveille !

Il me regarde comme s'il avait atterri dans un hôpital psychiatrique. Escortée par mes deux copines (la honte et l'humiliation), je trace dans ma chambre. Ça y est, c'est reparti pour un tour de lose.

J'entends Ricky se lever et entrer dans la cuisine :

– Bonjour...

C'est mon père qui répond parce que je connais ma mère, elle a toujours besoin d'une période d'observation.

– Ah! Alors, pas trop mal dormi sur le canapé?

– Non, très bien, merci.

– Un petit café?

– Avec plaisir. Comment va Yves?

– Il court, il court, ton furet.

Super, l'humour du père au réveil.

– Allez, tu me bois ça et on va le voir.

– Ça marche.

Bon, je viens encore de me taper l'affiche mais, la bonne nouvelle, c'est que j'ai ma photo! D'ailleurs, à quoi elle ressemble?

Ni une ni deux, j'allume l'iPhone, j'entre le code de ma soeur (sa date de naissance, bonjour l'originalité), j'appuie sur l'icône « photo » et... Horreur, malheur, j'ai un triple menton d'homme politique et on ne voit que les narines de Ricky !

Qu'est-ce que je fais ? J'y retourne ?

Ah bah non, plus de batterie... Margaux venait juste de le mettre à charger donc. C'est pas possible, c'est quoi ce karma ?! Alors que je cherche le courage d'aller photographier Ricky avec ma tablette, on frappe à ma porte. Je me fige. C'est forcément lui, vu que toute ma famille entre ici comme dans un moulin. Paniquée, je regarde les affiches des Connections, puis le bazar flippant de ma chambre. Impossible de dire « entrez », c'est comme si j'étais toute nue. Visiblement, ça ne l'arrête pas puisqu'il entrebâille la porte. Je pousse intérieurement un « NOOOOOON » déchirant.

Il passe la tête :

– Excuse-moi, j'te dérange ?

Je suis tellement tétanisée par la scène que c'est comme si elle se déroulait image par image. Ricky parle d'une voix grave et hachée. Je ne capte rien de ce qu'il me dit. Il me propose un jus d'orange, c'est ça ?!

Je réponds à tout hasard :

– Non, c'est gentil.

Ça ne devait pas du tout être ça puisqu'il entre ! Je deviens liquide. Il balaie les murs du regard et murmure en mâchouillant son chewing-gum :

– Ah ouais, t'es grave fan quand même.

Ça m'achève. Il s'arrête sur l'autographe punaisé au-dessus de mon lit.

– Lise, c'est classe comme prénom. Ça te va bien en plus.

– Ah ouais, c'est vrai ?!

Penser à changer de prénom à la mairie.

Il commente les photos et les coupures de presse. Je souris bêtement en détaillant le moindre trait de son visage. Il s'arrête sur mon calendrier Connections où j'ai noté toutes les dates qui le concernent : son anniversaire, sa fête, mais aussi la sortie de l'album, les dates de concert, celles des émissions de télé...

– Ah, on fait *Le Grand Journal* en septembre ? T'en sais plus que moi...

S'il continue à faire le tour, il va tomber sur mon micro sur pied et mon mini-ampli. Aucune envie qu'il me demande de lui faire une démo comme ça le matin, à jeun. Oui, je chante, j'adore chanter même, mais juste pour moi dans ma chambre, tranquilou. S'il regarde mon bureau, c'est pas mieux, entre mes essais de signature, mon noyau d'avocat dans du coton qui n'a jamais donné une feuille, ma peluche Hello Kitty, une vieille copie double qui traîne depuis un mois (et bien sûr c'est pas un 14 en français, mais un 6 en maths) et surtout, SURTOUT, mon cahier Connections ! D'un coup, je n'assume plus du tout la couverture pleine de petits cœurs.

Je me déplace en crabe, mets les mains dans mon dos, ouvre le tiroir du bureau, puis tâtonne pour trouver le cahier et tenter de le faire glisser dedans du bout des doigts. Le plan était simple, mais c'est rarement le plan, le problème, c'est l'exécution... Je n'ai pas assez ouvert le tiroir, du coup le cahier tombe par terre, laissant échapper tous les trucs que je n'ai pas encore eu le temps de coller : mon billet de concert, une carte postale et, vision d'horreur, la petite feuille avec ses trois cheveux scotchés. Je mets un pied sur le billet, un pied sur la carte et regarde, impuissante, la feuille avec les cheveux qui prend le large. Je me jetterais bien à quatre pattes pour mettre une main dessus (et lancer un Twister comme diversion), mais Ricky se retourne. Moment de flottement. Inconscient du drame qui se passe au sol, il me complimente :

– Tu sais qu'il est collector, ce calendrier. Ma maison de disques l'a sorti en édition limitée, vous êtes pas beaucoup à l'avoir.

– Ah bon ?

Retourne-toi que je termine le boulot ! C'est comme s'il m'avait entendue puisqu'il se dirige vers ma collection de fèves en murmurant :

– Qu'est-ce que c'est, ça ?

C'est pas vraiiiii ! J'avais pas décidé de la jeter, celle-là ? Enfin, la jeter, la monter au grenier, parce qu'on s'attache à ces petites choses... Tous ces mois de janvier passés sous la table à répondre à la question fatidique : « Et celle-là, elle est pour qui ? » et espérer avoir une bonne surprise en regardant discrètement dans ma part. Quand par malheur je ne l'avais pas, je pleurais comme un veau pour qu'on me la file... D'où cette collection impressionnante, mais tellement kitsch, je sais.

Penser à effacer définitivement toute trace de mon enfance dans cette chambre.

Pendant qu'il détaille ma série de fèves sur les métiers oubliés, je ramasse discrètement tout ce qui traîne, bourre mon cahier et l'enferme d'un coup de fesse dans le tiroir. Ricky se retourne et me demande où il peut jeter son chewing-gum. Je me retiens de lui répondre «dans ma bouche» et lui montre la poubelle sous mon bureau. Il y balance nonchalamment son ADN et enchaîne :

– Tu fais quoi aujourd'hui ?

J'avais prévu d'aller mendier un rendez-vous chez Diminu'tifs pour rattraper ma frange immonde.

– Aujourd'hui? Je... traîne de-ci, de-là... deux-trois courses à faire... des potes à voir...

– Ah, tu ne peux pas passer l'après-midi avec nous alors?

– SI!... enfin, je veux dire: si, *why not?*

– Ah cool, comme on n'est en concert à Cannes que demain, on passe la journée sur un bateau.

Il sort son téléphone:

– Je connais pas encore les détails, mais je te file le numéro du régisseur?

– Du quoi?

Oups, ça m'a échappé.

Penser à toujours avoir l'air au courant.

– Le régisseur: le mec qui gère tout, quoi.

– Non, mais je sais... je te faisais marcher...

Il me fait un petit sourire très difficile à analyser. Ça peut tout aussi bien être: «Tiens, elle est marrante cette meuf» que: «Elle essaie de faire genre elle connaît, mais elle fait trop pitié.» Pas net.

Il m'incite à sortir aussi mon portable d'un :

– Tu notes ?

Je fais semblant de palper les poches de ma robe sans poches, style « où est mon téléphone ». Je finis par lui filer le seul stylo à portée de main – celui avec le papillon qui clignote quand tu écris, évidemment – et lui tends ma main pour qu'il écrive dessus.

Il y recopie le numéro et ajoute :

– Comme ça, tes parents s'arrangeront avec lui.

Je m'entends dire :

– Mes parents ?! Attends, j'ai 14 ans et demi, qu'est-ce que tu veux qu'ils disent ?

♡ 8h52

Ricky à peine parti, je supplie à genoux mes parents de me laisser y aller. Ma mère est intraitable :

– *Nein !* Hors de question !

– Mais, maman...

– Y a pas de « mais, maman », c'est non ! Que des garçons à moitié nus sur un bateau ? Majeurs en plus ! Tu te fiches de moi ?! Et je suis sûre qu'ils se droguent !

– Alors là, pas du tout, je peux te sortir plein d'articles où il disent qu'ils sont carrément contre, ils sont sportifs, hypersains, ils mangent bio !

– Des gamins de 18 ans qui mangent bio, à qui tu veux faire croire ça ?

– Mais tu les connais pas ! Allez, m'man... Tu te rends pas compte de ce qui m'arrive ?! Les Connections ! Les CO-NNEK-CHEUN'Z ! C'est pas toi qui me dis tout le temps qu'il faut savoir saisir les opportunités ! Bah là, j'ai une chance incroyable de vivre un truc inoubliable et tu serais prête à me l'interdire ?!

– Tu n'as que 14 ans...

– 14 ans et demi !

– Louise, arrête...

– TOUT MON DÉVELOPPEMENT PSY-
CHOAFFECTIF EN DÉPEND !!!

Ma mère se retient de rire :

– Où est-ce que t'as lu ça ?

Je sens que le bateau prend l'eau de
toutes parts... Comme chaque fois que je
suis à bout d'arguments, je sors mon joker :

– Papa, dis quelque chose...

En direct du canapé, mon père intervient
mollement :

– C'est vrai qu'il a l'air sympa, ce Ricky...
Un garçon qui a un furet ne peut pas être
foncièrement mauvais.

Ma mère s'emporte :

– C'est dingue, ça ! Tu ne me soutiens
jamais ! J'en ai marre d'avoir toujours le
mauvais rôle ! Vous savez quoi ? Faites
comme vous voulez, je m'en fiche ! Va te
baigner avec des stars du rock, teins-toi les

cheveux en vert et rentre au petit matin, si ton père est d'accord...

– Maman, le prends pas comme ça! Je te promets que je vais faire très attention!

Mon père me soutient:

– J'irai la chercher à la marina vers 18 heures.

Moi, sur la pointe des lèvres:

– 19 heures?

Ma mère:

– Tu vois, ça commence! Michel, tu vas vraiment laisser ta fille partir avec des inconnus?

Mon père s'autorise une petite blague:

– J'ai entendu dire qu'ils étaient plutôt connus au contraire.

Ma mère soupire. Ça y est, la coolitude de mon père est en train de faire plier sa rigidité allemande. Elle me regarde. Je me redresse et lui adresse un regard franc, direct, responsable, bref, digne de confiance.

Papa enfonce le clou:

– Allez, Kathrin, si tout son développement psychoaffectif en dépend...

Je sens que c'est bon, que ma mère laisse juste passer quelques secondes pour ne pas avoir l'air de céder trop vite. Au lieu d'attendre, je ne peux m'empêcher d'ouvrir ma grande bouche pleine de mots :

– Demain, je te promets, je range ma chambre : je fais le ménage, je plie mes fringues, je trie, je jette, tu vas pas la reconnaître !

Elle fait encore durer le suspense quelques secondes et lâche :

– Bon bah, je vais essayer de te faire confiance.

– C'est d'accord ?!

– Oui, mais tu ranges ta chambre. Je veux pouvoir regarder sous ton lit et voir le mur.

Cette promesse va me ruiner la journée de demain, mais je m'en fiche !

Hi ! Haaaaa !!!

Je bondis sur le téléphone pour appeler le giresseur? Le gérisseur? Le gérant? Bref, le mec qui gère! Je regarde ma paume et change de couleur. Le dernier chiffre s'est effacé à force de supplier ma mère les mains jointes.

Mais pourquâââââ?!

Bon, bon, bon, pas de panique (facile à dire), il ne manque qu'un seul chiffre, donc ça ne doit pas être sorcier... hein... Alors... prenons ce problème de maths avec un peu de recul.

Nous avons:

$$06\ 23\ 45\ 64\ 7x$$

Petit x étant l'inconnu et 7 étant la dizaine, combien de coups de fil dois-je passer avant de tomber sur le bon numéro? Les sciences mathématiques fondant leurs calculs sur un système décimal, soit un système de numération utilisant la base 10, j'ai donc... 9 possibilités ? Ah non ! 10 avec le zéro ! C'est un chiffre, le zéro ? Bref ! J'ai donc dix coups de fil à passer (au maximum puisque je peux avoir la chance de tomber sur le bon numéro avant, mais je serais moi, je ne compterais pas sur la chance).

Je commence par le zéro.

Répondeur :

– Bonjour, vous êtes bien sur le répondeur de Bruno Tavernier, entrepreneur forestier...

Je passe au 1. C'est une femme. Je lui raccroche au nez. Je sais que c'est laid, mais je ne vais pas lui raconter mes vacances.

En finissant par le 2, c'est une voix de vieux monsieur. Je hurle dans le téléphone. Il ne comprend rien. J'écourte avant qu'il perde son dentier.

En essayant le 3, c'est une jeune femme qui me répond :

– Cabinet d'esthétique, bonjour. Joceline à votre service !

Au revoir, Joceline.

Le 4 n'est carrément plus en service.

J'ai un micro-espoir avec le 5 quand un homme me répond :

– Allô ?

– Bonjour, monsieur !

– C'est madame.

– Oups, pardon.

Le 6 est prometteur aussi :

– Allô !

– Bonjour... monsieur ?

– Oui.

– Je cherche à joindre le... gérant du groupe...

– Oui, c'est moi.

Coup de chaud. Bizarrement, je ne me suis pas préparée à tomber vraiment sur lui.

Je bredouille :

– Ah... super... En fait, je suis la fille du vétérinaire... pour Yves... Vous savez, cette nuit...

– Pardon ?

– Le furet de Ricky a été malade cette
nuit et...

– C'est une blague téléphonique, c'est ça ?

– Mais non. Vous n'êtes pas le gérant des
Connections ?

– Non, moi, je suis gérant du groupe Mille-
Pages, cahiers et fournitures de bureau.

C'est une conspiration mondiale ou quoi ?

Le 7 m'expédie :

– Rappelez-moi dans vingt minutes parce
que je suis en consultation.

J'ai compris, je vais taper directement le 9.

Répondeur d'un homme qui est parti
en Thaïlande jusqu'au 16 ! L'angoisse...
Il ne reste plus que le 8... Et si c'était pas
le 8... Et si Ricky s'était trompé dans les
autres numéros... Et s'il m'avait donné un

faux numéro pour se débarrasser de moi! Un petit diable se met à ricaner sur mon épaule :

– Tu as cru que Ricky des Connections t'invitait, toi, Louise Mortier, enfin je veux dire « Lise » Mortier ? Ce que tu peux être naïve, ma pauvre fille.

Sur l'autre épaule, un petit ange me vient en aide :

– Mais non, il n'aurait pas pu te faire ça à toi, la fille de l'homme qui a sauvé son furet. En plus, il a bien vu que t'étais sa fan *Number One*. Ne t'inquiète pas. C'est sûr, c'est le 8.

Je tape en tremblant le 06 23 45 64… et donc 78. Ça sonne… Ça sonne… Ça sonne…

– Allô ?

Voix d'homme ! Je me lance :

– Bonjour, vous êtes le gérant des Connections ?

– Le régisseur.

– C'est ça, exactement, le régisseur! Je suis la fille du vétérinaire qui...

– Ah oui, Ricky m'a dit. Lise, c'est ça?

– ... C'est ça.

– Tu me passes ton père ou ta mère?

– Heu, oui, oui, bien sûr.

Inutile de dire que mes parents ne sont pas restés à côté de moi pour m'assister dans cette recherche absurde de régisseur. Je traverse le salon comme un missile et pousse la porte du cabinet de mon père. La ménagerie m'accueille en aboyant, feulant, caquetant, grognant, jappant, glapissant. Mon père est en train de détartrer les dents d'un chien sous anesthésie. Je lui tends le combiné comme s'il était brûlant.

Il met un temps monstrueux à enlever ses gants de chirurgien, puis prend le téléphone avec une décontraction complètement hors sujet.

 **9h28**

J'ai deux heures avant qu'une voiture vienne me chercher pour m'emmener jusqu'au bateau. Oui, on m'envoie une voiture... Pardon, mais je suis sur le point de passer dans une autre dimension. Un après-midi avec les Connections... C'est lunaire...

Je perds une heure à m'en remettre.

 **10h28**

Je cours en culotte de mon placard à mon sac. Il me reste cinquante minutes pour me préparer. Je mets un gilet dedans, l'enlève, le remets, je suis débordée ! Je dois prendre quoi ? Ma brosse à dents ? Ma pince à épiler ? Un chapeau ? Une casquette ? J'ai l'impression de partir pour

Koh-Lanta ! J'y arriverai jamais ! Pourquoi j'ai pas un régisseur, moi aussi !!!

Ça sonne sur mon ordi. Tiens, quelqu'un me skype. C'est vraiment pas le moment. Bon, petit coup d'œil quand même. Ah, *yes*, c'est Candice ! J'enfile un tee-shirt et décroche :

– Salut ! Tu me vois ?

– Bah ouais ! C'est quoi, cette frange ?!

– M'en parle pas... Attends, je t'ai pas, moi, appuie sur la caméra.

Son image apparaît. J'ai un mouvement de recul. Elle est rouge fluo.

– Qu'est-ce qui t'est arrivé ?!

Elle répond en bougeant à peine les lèvres :

– Je me suis endormie au soleil.

– Quoi ? T'avais pas mis de crème ?

– Pire, j'avais mis du monoï, à l'heure du déj, c'est fatal. Je dois rester à l'ombre le temps que ça se calme. Je suis verte.

– Verte, c'est pas le mot.

– Me fais pas rigoler, ça brûle. J'avais rencontré un beau gosse au beach-volley, laisse tomber, maintenant c'est mort.

– Mais non, tu vas souffrir quelques jours et après tu seras *black*.

– Tu parles, je vais surtout peler comme un vieux poivron... Bon, et toi alors, le concert ? Bien ou bien ?

– Top, mais là, je suis grave à la bourre...

– T'es sérieuse, là ? T'es la seule de la bande à être allée au concert et tu nous en fais pas profiter ? T'as même pas posté une photo sur Facebook...

– J'ai pas eu le temps parce que...

Allez, je balance le scoop :

– Ricky a dormi à la maison !

Elle grimace de douleur.

– Me fais pas rire, je te dis !

– Non, mais le pire, c'est que c'est vrai.

– Ah ouais ? Et il embrasse bien ?

– T'es bête, il a dormi dans le canap'.

– Mais bien sûr et moi, en vrai, je suis sortie avec la Torche humaine des Quatre Fantastiques.

Je rigolerais bien avec elle pendant des heures, mais le moment est grave. Je lui explique tout (trois fois parce qu'elle ne me croit jamais à la première) et on commence enfin à parler technique : comment je m'habille et qu'est-ce que je dois prendre ?

Candice, en souffrance, limite ventriloque :

– Déjà, direct, tu prends de la crème.

Je cours dans la salle de bains de mes parents et reviens avec la Lancôme indice 30 de ma mère.

– J'ai ! *Next !*

– Maillot !

– T'es gentille, lequel ? J'en ai trois.

– Pas le bleu, tu perds ta culotte quand tu plonges et le violet, il te fait des tout petits seins.

– J'ai des tout petits seins.

– Justement! Triche!

– Bon, je me baignerai pas, comme ça, c'est réglé.

– Prends ton noir quand même au cas où, et une serviette... non, un paréo plutôt, ça mincit et ça sèche plus vite!

J'adore cette fille, c'est vraiment ma besta! Elle ne se laisse jamais abattre, elle a toujours un coup d'avance! Par exemple, pour son histoire de beau gosse, je suis sûre qu'elle va s'arranger pour le revoir, au bowling, au mini-golf, en boîte... De toute façon, elle rentre partout. Elle a 15 ans mais, grâce à ses gros seins, elle en paraît 18. Faut dire qu'elle a eu ses règles à 11 ans, alors que moi, je les attends toujours.

Je ne peux pas parler de Candice sans parler de sa crinière de lionne. Ses cheveux, c'est sa vie. Là, par exemple, elle a beau avoir le visage cramé, les yeux bouffis, les lèvres gercées, ses cheveux sont impeccables. Elle dépense tout son argent de poche en mousses, crèmes, masques, sprays, shampoings, après-shampoings, sèche-cheveux professionnel avec diffuseur de chaleur... et en maquillage aussi, parce qu'elle a le droit de se maquiller, elle ! Elle n'est pas comme moi, limitée au gloss nacré, au cache-boutons et au mascara transparent.

Ma mère ne voit pas d'un très bon œil que je traîne avec elle. Elle la trouve « délurée ». Alors que c'est tout le contraire : c'est une fille qui n'a pas du tout confiance en elle. C'est vrai qu'elle n'a pas sa langue dans sa poche, mais elle ne l'a pas non plus dans la bouche de tous les garçons comme ma mère le pense.

Ça y est, mon sac est bourré de trucs « au cas où » : une photo de Candice, au cas où Syl veuille voir à quoi elle ressemble, un livre pour faire genre, au cas où personne ne me calcule, une serviette hygiénique, au cas où mes règles arrivent pile aujourd'hui, une boussole, au cas où on serait perdus en mer, mon chargeur de tél, au cas où ça durerait plusieurs jours, mon bloc-notes et un stylo, au cas où on écrirait une chanson avec Ricky, des médocs, au cas où je vomito par-dessus bord, une banane, au cas où, un K-way, au cas où, un briquet, au cas où, un petit cadenas... au cas où quoi déjà? Je ne sais plus, mais Candice a l'air sûre de son coup.

Niveau allure générale, on a fait dans le classique : jean noir, tee-shirt blanc, espadrilles compensées (deux centimètres, merci maman) et ma veste en jean porte-bonheur. C'est pas fou, mais au moins, personne ne sera tenté de m'inscrire à *Nouveau Look pour une nouvelle vie*.

Une voiture klaxonne devant la maison.

J'ai la bouche sèche tout à coup, j'ai du mal à m'exprimer :

– Ça y est, on vient me chercher... Je peux pas y aller, je peux pas y aller...

– Je donnerais mon faux cuir IKKS pour être à ta place, alors t'arrêtes de te prendre la tête et tu te bouges les fesses !

– Je te jure, j'y arriverai jamais...

Candice s'approche de la caméra. Son gros visage rouge prend tout l'écran :

– BIEN SÛR QUE SI ! ALLEZ, GO ! ET TU NE REVIENS PAS SANS UN AUTO-GRAPHE DE SYL POUR MOI !

Elle me fait limite peur. J'acquiesce, l'embrasse et éteins mon ordi. OK, faut pas que je me laisse avoir par le trac parce qu'à partir de maintenant je peux devenir ma pire ennemie. Je prends une grande inspiration, hisse mon sac sur mon épaule et sors.

❀ 11h30 pile

Heureusement que ma mère me dit au revoir dans l'entrée. Elle qui d'habitude n'est pas très démonstrative, elle me serre dans ses bras comme si j'allais passer l'après-midi sur le *Titanic*.

– Faut que j'y aille, maman...

– Fais bien attention à toi, *meine Tochter*.

Je vois que son regard s'attarde sur ma frange, mais elle a le bon goût de ne rien dire. Mon père m'accompagne alors jusqu'au perron, mais ça va, il se contente de m'embrasser et de faire un petit signe au régisseur, un grand métis qui m'attend devant un Hummer aux vitres fumées. Classe de chez classe.

Mon père referme la porte. Je suis seule face à mon destin.

J'avance vers le Hummer. C'est ma vie, ça ? Incroyable...

J'arrive enfin à la voiture :

– Bonjour.

– Salut !

Mais bien sûr, quelle tache ! Pourquoi j'ai pas dit « salut » ?! Je le dis tout le temps en plus !

– Moi, c'est Régis, Régis le régisseur, c'est facile à retenir.

Je glousse beaucoup trop longtemps. Il enchaîne :

– On y va ?

– C'est parti...

J'ai failli rajouter « mon kiki » pour avoir l'air détendue. Ouf, j'ai frôlé la cata.

Il ouvre sa portière et s'installe au volant. Le temps que je fasse le tour du Hummer, il a baissé la vitre côté passager et me lance :

– Monte derrière plutôt.

– Non, mais c'est bon, j'ai plus de 10 ans, je peux monter devant.

Il se marre :

– Je sais, j'ai vu, mais tu seras mieux.

– Ah, OK... bien sûr...

Ce coup-ci, je me suis pris la honte de plein fouet. Je monte et m'assois sur la banquette arrière en essayant de me faire oublier, mais il me fait la convers' :

– Ça te dérange si je clope ?

– Non, pas du tout.

– T'en veux une ? Tu fumes ?

– Non, pas encore.

Pas encore ?! C'est un festival ! Je devrais faire payer l'entrée. Je me tasse encore un peu plus pour ne même plus apparaître dans son rétro et prie pour que ce trajet se termine vite.

 **11h48**

Régis est tellement sympa que, quand je descends de la voiture, je suis presque à l'aise. Faut dire qu'il m'a fait le grand jeu : minibar, télé et siège massant. J'arrive pas à croire qu'il y a des gens qui s'y habituent. Je vois le « bateau » dont Ricky m'a parlé et je suis fauchée en pleine prise de confiance.

C'est pas un « bateau », c'est un énooorme YACHT[2] !!! Un monstre de cent mètres de long avec trois étages !

Heureusement que j'ai pris ma boussole.

En même temps, après le Hummer, à quoi je m'attendais ? Un chalutier pour aller pêcher la sardine ? Mon corps suit Régis, mais mon esprit est toujours à côté de la voiture en train de fixer le yacht. On fend un essaim de fans en délire sur le quai. Je suis mitraillée par des photographes et fusillée du regard par les groupies supra-jalouses. Deux énormes vigiles nous laissent pas-

---

2. À prononcer « yôte » si on veut pas passer pour un bolosse.

ser. On emprunte la passerelle. Quand je pose un pied sur le yacht, mon esprit réintègre violemment mon corps et je manque de m'évanouir. Régis me conduit à l'avant du yacht. Je le talonne.

Respire par le nez, Louise, tout va bien se passer. L'objectif, c'est juste de partager un bon moment avec les Connections. Je ne me suis pas tapé l'incruste, je suis officiellement invitée par Ricky et personne ne s'attend à ce que je fasse une démonstration de hip-hop. J'ai juste à être moi-même : transpirante, transparente, incapable de démouler deux mots, OK, ça va être chaud. D'ailleurs, je commence déjà à ruisseler dans mon jean slim. Ah çà, avec Candice, on a fait dans le classique, mais pas dans l'intelligent ! Quelle idée de mettre un pantalon noir moulant sous le cagnard !

J'entends des rires, ça y est, ça se précise, j'y suis presque... allez, je ne suis plus une gamine, j'ai passé mon galop 3, j'ai gravi la dune du Pilat, j'ai même pas hurlé dans Space Mountain, je peux tout à fait affronter une journée avec mon groupe préféré.

Impact dans 4 secondes... 3... 2... 1...

– Hé, salut Lise!

Ricky me fait un geste de la main. Je perds tous mes moyens. L'écho de ses mots résonne dans ma tête vide, du coup je me calque sur la musique de sa phrase :

– Hé, salut Ricky.

C'est pas très original, mais au moins, c'est raccord. Les quatre Connections sont là en chair et en os (et surtout en muscles), avachis, torse nu, sur des banquettes blanches. Je m'approche avec un sourire crispé et me penche pour leur faire la bise. Chez moi, c'est trois. Chez eux, apparemment c'est deux puisque FX me met un vent sur la troisième : j'embrasse le vide alors qu'il recommence à parler à Vince (honte suprême). On ne m'y reprendra pas, je fais un salut général. Ricky me montre le ciel :

– C'est cool, t'as vu, on a de la chance pour le temps.

– Ouais... En même temps, il fait souvent beau à Nice.

– Waouh, intervient Vince, comment elle t'a bashé !

Je bredouille :

– Ah non, non, mais pas du tout. Ça arrive qu'il pleuve aussi !

– C'est peut-être là qu'il faudrait qu'on achète une maison, commente Syl.

Ricky rebondit :

– Non, c'est en Corse qu'il faut qu'on achète ! Tu te souviens de la villa où on a passé le réveillon ?

– Ah ouaaaais ! Graaaaaave !

OK, là, je n'existe donc plus. Je vais m'asseoir... mais où ? Sur les genoux de Ricky ? Ah ah LOL... Je repère un gros pouf gonflable en plastique. Je pensais me poser à la cool. Erreur : je n'avais pas prévu que ce serait une sorte de marshmallow géant. Je m'enfonce jusqu'à avoir limite les pieds en l'air et les fesses qui touchent le sol, tout ça dans un bruit atroce de gastro. Je comprends mieux pourquoi la place était libre.

Maintenant que j'y suis, j'y reste, de toute façon, j'ai pas le choix. À moins qu'une chaîne humaine ne se forme pour me relever, je suis condamnée à regarder les serveurs passer en prenant un air faussement détendu. J'ai été tellement distraite par mon histoire de siège ramollo que je ne me suis pas rendu compte que le bateau avait quitté la côte. Le bruit de moteur a dû masquer celui du pouf puisque la bonne nouvelle, c'est que personne ne fait attention à moi... Est-ce vraiment une bonne nouvelle quand j'y pense ?

Apparaissent alors trois filles en maillot, genre 18 ans, tatouages de dauphin et piercings dans le nombril : le cauchemar. Je me disais bien que je ne serais pas la seule fan invitée, l'unique, l'Élue, mais là, ça va être très dur de rivaliser. Je ne les ai pas vues monter à bord. Où est-ce qu'elles étaient jusqu'ici ? En train de faire des essayages en cabine ? Coincée dans mon coussin péteur, je leur souris... Et cette horrible frange qui bat dans le vent comme un petit drapeau...

♥ 12h22

Depuis que les filles sont arrivées, les Connections sont très inspirés, c'est à celui qui la ramènera le plus. Toujours les quatre fers en l'air, je participe comme je peux à la conversation qui part dans tous les sens.

Je ris à toutes leurs blagues, surtout celles que je ne comprends pas, je hoche la tête, je ponctue même leurs phrases de petits sons :

– Ah ?

Plus tard :

– Oh...

Plus fort :

– Cool !

Je vais jusqu'à tenter des :

– C'est complètement dingue !

En me tenant le menton :

– Ah ça, je ne savais pas...

En tendant la main :

– Je peux voir ?

Mais visiblement personne ne capte ma fréquence. Les vidéos tournent sans que je sois dans la boucle, les filles me snobent et Ricky me sourit, mais de très loin. Si seulement je connaissais un petit enchaînement de hip-hop...

J'ai chaud, c'est l'enfer comme j'ai chaud. Mon pantalon me colle aux cuisses et je fais un concours de tee-shirt mouillé toute seule. On commence à entrevoir mon soutien-gorge bonnet A. En plus, je dois avoir le visage toasté de Candice. Bon, allez, action! Je m'extrais du pouf comme une dent de sagesse, prends mon sac et avance droit devant moi genre «je sais où je vais». Je prends le premier escalier qui descend, ouvre une cabine, un placard à balais, une buanderie, et me réfugie enfin dans les toilettes. J'enlève direct mon jean en me contorsionnant et balance mon tee-shirt qui reste limite ventousé au miroir.

Je comprends les nudistes...

Le kif...

...

...

...

Bon, je ne vais pas rester là pendant toute la traversée, je ne peux décemment pas remonter en sous-vêtements et il est hors de question que je remette ma tenue de sudation. J'ai donc un problème... Étonnant, non?

J'ouvre mon sac, plonge la main dedans et en ressors la banane. Dommage que je n'en ai pas plusieurs, je pourrais me faire une petite jupe. Qu'est-ce que j'ai apporté d'autre qui pourrait me sortir de ce mauvais pas? Mon livre? Nul. Suivant. Mon... ah tiens, j'ai reçu un texto?

C L'ANGOISS, VÉGA BOITE.
G PEUR KEL SAUTE PA DEM1.
FILE VITE LE 06 DE TON PÈRE
STP IL RÉPOND PAS À SON KBINÉ!!!
NATH

C'est pas vraaaai... Le pauvre Nathan, ça fait des semaines qu'il s'entraîne avec sa jument... Pourvu que ce ne soit pas grave. Je tape fissa le numéro de mon père et lui envoie... Échec de l'envoi du message? Oh non, pas de réseau. C'est pas vrai, le sort s'acharne! Je monte sur la lunette des toilettes et essaie de capter un signal avec mon Nokia increvable (malheureusement).

Rien.

Nothing (LV1).

Nada (LV2).

J'attends deux minutes en espérant que le réseau revienne. Rien. Bon bah, je l'enverrai dès que je pourrai. Je range mon portable et... j'en étais où déjà? Ah, oui: trouver un truc à me mettre. Bon bah, plus le choix: je sors l'inévitable, l'incontournable, le détestable maillot noir une pièce. Je l'enfile en faisant claquer les élastiques et me regarde dans le miroir. On dirait Laure Manaudou (en moins athlétique). Les Miss Côte d'Azur vont croire que je suis là pour leur donner un cours de natation.

Penser à me fournir ailleurs que chez Decathlon.

Je fourre mes fringues dans mon sac et remonte enroulée dans mon paréo BBQ Party : « Tant qu'il y a de la braise, y a de la merguez » (quelle erreur, ça aussi !).

♡ 13h06

Je mets un orteil sur le pont et c'est bien sûr le moment où Syl annonce une compète de plongeons. Je sais à peine sauter en me bouchant le nez. Ce sera sans moi. Je m'accoude à la rambarde et observe de loin les Connections se mettre en position

et enchaîner les sauts arrière, carpés, vril-
lés, bref, des tas de figures acrobatiques
que les Mannequins-Lingerie filment avec
leurs iPhone étincelants. Je ne me sens pas
du tout à ma place, mais au moins, comme
personne ne me remarque, je peux admi-
rer tranquillement Ricky. Qu'est-ce qu'il
est beau avec ses plaquettes de chocolat
et ses cheveux mouillés... Et ce sourire...
Il remonte à l'échelle comme s'il avait fait
l'école du cirque, court sur le pont en laissant des empreintes de pied parfaites et je
replonge direct. Je suis tellement fascinée
que je ne vois pas arriver ma prochaine
humiliation.

– Allez, les filles, à vous maintenant !

Ricky joint le geste à la parole et pousse à
l'eau Tamara (une meuf canon que j'ai déjà
appelée « Tarama » trois fois, heureusement
que personne ne m'écoute). Les autres
filles gloussent et suivent le mouvement.

Elles plongent les unes après les autres et pénètrent dans l'eau sans une éclaboussure. On dirait un ballet aquatique.

– HÉ TOI! hurle Syl dans l'eau. QU'EST-CE QUE TU FAIS?

Je mets quelques secondes à comprendre que le «toi», c'est moi. Je me retourne pour être bien sûre. Pas de doute possible, je suis la dernière sur le pont.

Je hurle à mon tour:

– NON, MERCI!

– MAIS SI! ALLEZ!

– NON, NON, ÇA VA! MERCI!

Qu'est-ce qu'il fait? Pourquoi il remonte? Vent de panique! Est-ce que je peux partir en courant et aller me rouler en boule dans la salle des machines? Non. Donc maintenant, la question est: est-ce que j'attends que Syl me traîne par les cheveux ou est-ce que j'y vais de moi-même, drapée dans mon paréo? Je choisis la dignité (ça me changera) et vais me mettre en place. Syl redescend l'échelle pour bien profiter du spectacle. Tous les petits yeux sont braqués sur moi. À côté de l'immense Tamara aux cuisses caramel, je suis un petit Hobbit aux jambons blancs.

Ils se mettent tous à crier :

– A-LLEZ ! A-LLEZ ! A-LLEZ ! A-LLEZ !

Bon, bah, mon public me réclame, je ne peux plus reculer, il faut que je me jette à l'eau... Je déglutis, m'élance, tombe comme une pierre et fais un plat retentissant. Tout le monde éclate de rire, je remonte à la surface et ris encore plus fort pour ne pas pleurer. Grand, grand moment de solitude... Si seulement j'avais incrusté Nathan, il leur aurait fait son saut de l'ange qui les aurait tous séchés sur place.

Penser à le rappeler (et à acheter de l'arnica).

 **13h49**

On a « mouillé » (jeté l'ancre) dans une petite crique et, ensuite, on a mis l'« annexe » (un bateau pneumatique à moteur) à l'eau et c'est le « skippeur » (le capitaine) en personne qui a fait la navette pour nous déposer sur la plage. Au moins, je découvre de nouveaux mots... Maman sera ravie d'apprendre que cette sortie était aussi pédagogique !

Arrivés sur le sable, j'entends Ricky dire à FX :

– C'est cool parce que j'ai vraiment la dalle.

Je ne comprends pas bien le « c'est cool » parce que je ne vois pas l'ombre d'un resto, d'une paillote, pas même d'un vendeur de chichis. On est sur une plage entourée de rochers hyper-hauts. On ne peut y accéder que par la mer. À moins de sortir les harpons pour une pêche sous-marine, je vois

mal pourquoi « c'est cool d'avoir la dalle. »
Perso, je trouve ça plutôt flippant. On va
manger quoi ? Des algues ?

J'inspecte les alentours, il doit y avoir
un sentier quelque part. J'aperçois des
hommes perchés dans les hauteurs. Ils
nous mitraillent avec leurs gros appareils
photo. C'est normal, ça ? Les Connections
les ignorent complètement. J'en déduis
qu'on s'habitue à tout. Ce sont les risques
du métier... J'imagine déjà la tête de mes
copines si j'apparais dans le prochain
Voici, même minuscule dans un coin de
l'image, ce serait énooorme. J'aurais enfin la photo-souvenir que je ne peux pas
prendre avec mon portable préhistorique.

J'entends un vrombissement, d'abord très
lointain, comme une nuée de bourdons,
puis de plus en plus proche. Je lève la tête
et vois apparaître... un hélico ?! Sérieux ?!
Il se met en vol stationnaire soufflant des

rafales de vent. Je tiens mon paréo à m'en blanchir les phalanges, il ne manquerait plus qu'il s'envole, qu'il aille s'accrocher dans le figuier là-haut et que je me retrouve à déjeuner en maillot. Des hommes et des caissons descendent à l'aide de câbles. J'hallucine... C'est un tournage de *Mission impossible* ? En tout cas, il faut que je ferme la bouche parce que ça ne surprend que moi. Les Connections, les filles, l'équipe, tout le monde continue à tchatcher comme si c'était le livreur de pizzas qui venait de sonner à la porte.

Parfois, je rêverais d'être comme Candice. Elle est trop forte pour se mettre en mode «blasée». Dès que quelque chose l'impressionne, à l'intérieur d'elle je sais bien que ça bouillonne mais, à l'extérieur, y a rien qui dépasse. Elle serait là, elle soupirerait en se tenant les cheveux genre «merci pour le défrisage». Moi, c'est tout le contraire:

j'ai beaucoup de mal à masquer mes sentiments, à part avec mes parents (encore heureux). Nathan n'arrête pas de se moquer de moi à cause de ça, et Candice, n'en parlons pas, elle me dit toujours que j'ai mon journal intime imprimé sur le front.

L'hélicoptère repart et, en moins de temps qu'il ne faut pour dire «j'ai faim», une grande tente et un buffet de ouf sont dressés sur la plage. Au menu aujourd'hui : burgers à la plancha, frites maison, farandole de sauces et Coca à la pression !

Pas vraiment bio, donc.

On se jette dessus comme des lions sur une antilope. Pour la première fois de la journée, je participe à une action commune : manger ! Ça, je sais le faire, trop bien même ! Vu que j'ai la bouche pleine, en plus, j'ai une bonne raison de ne pas parler. Et vlan, une tache sur mon maillot, heureusement qu'il est noir. Ils ont pensé à tout sauf aux serviettes de table. Si je m'écoutais, je me nouerais mon paréo autour du cou. Comment font les filles comme Tamara pour manger proprement? Pas une feuille de salade entre les dents, pas un postillon de steak qui fuse quand elle parle! Elle tient son burger avec ses longues mains manucurées, alors que mes gros doigts s'enfoncent dans le pain pour ne pas faire tomber les cornichons.

Je me gave à m'en faire exploser l'intestin grêle. Si bien que quand les Connections proposent un «bœuf», je sors cette phrase fatale qui va sûrement faire rire sur plusieurs générations:

– Non merci, je ne peux plus rien avaler.

Tout le monde s'arrête, me dévisage et hurle de rire... avec moi, de moi?

C'est pas net.

Dans le doute, je hurle de rire aussi (on ne va pas se mentir, on est plus sur une

plainte d'otarie que sur une grosse mar-
rade entre potes). Des guitares sortent
de nulle part et les garçons se mettent à
chanter les Beatles à plusieurs voix.

C'est donc ça un « bœuf » ?

Rapport ?

Il y a des nouveaux mots qui passent plus
facilement que d'autres.

En attendant, je bénis ma sœur d'avoir
écouté les Beatles à fond et en boucle dans
sa chambre. Je connais toutes les mélo-
dies et je peux faire un peu illusion... Enfin,
faudrait pas trop tendre l'oreille parce que
j'invente surtout la fin des phrases dans un
anglais approximatif.

Exemple :

HELP! I mi somady

HELP! No must anymady

HELP! You no I me so man

HEEEEEELP!

Après, ça part complètement en sucette :

When a woz' hanger so much tabalam...
TODAY!

Le tout, c'est de savoir retomber sur ses pattes.

À la fin de la chanson, Ricky se retourne vers moi et lève un sourcil :

– Dis donc, Lise, elle défonce, ta voix.

Elle... défonce ? D'un coup, je ne sais plus si c'est positif ou négatif. Elle défonce les tympans ou elle est canon ? A priori, c'est plutôt la seconde option puisqu'il me regarde différemment. Je souris et baisse les yeux, en mode humble (mais fière). Ricky me remarque enfin, et en plus pour ma voix, ça me touche trop.

Les Connections enchaînent les tubes. J'arrête de faire la choriste quand Ricky se met à fredonner *Let it be* en tapant sur le bois de sa guitare, c'est juste waouh... Toutes les filles filment, j'espère que je pourrai revoir cette scène encore et encore sur YouTube.

– Tu m'accompagnes, Lise ? m'invite Ricky.

– Hein ? Heu... Non, merci, je la connais pas hyper-bien.

Janine, la sublime Black, me tend son iPhone :

– Tiens, les paroles.

– Ah, super... merci...

Ricky reprend l'intro. Il la fait tourner une fois, deux fois. Rien ne sort. Il m'encourage :

– Allez, ça va le faire grave.

Je déglutis et me lance :

– *When I find myself in times of trouble Mother Mary comes to me...*

J'ai glissé sur les deux premiers mots mais, après, ma voix s'est envolée. Merci à toutes ces heures d'entraînement dans ma chambre. Quand Ricky se met à chanter avec moi en faisant la deuxième voix, tous mes poils se dressent. On est juste en train de faire un duo et c'est mortel ! Le reste de la bande nous rejoint sur le refrain. Je flotte total, le soleil, le sable chaud, le bruit des vagues, eux, la musique, moi... j'aimerais que ce moment ne s'arrête jamais.

Je suis ramenée à la réalité par une sérieuse envie de faire pipi. Difficile de faire genre « tiens, rien à voir, mais je vais me baigner », je me grille direct (et là, c'est honte compte triple). Non, je prends mon mal en patience, croise les jambes et profite.

 15h37

Un peu gêné, Régis interrompt ce moment délicieux :

– Je suis désolé, les gars, mais faut qu'on décolle.

Je relève la tête et me rends compte que la tente est pliée et qu'il y a comme une tension dans l'air. Régis regarde l'horizon, des bateaux se rapprochent. Je vois même un photographe qui est en train de descendre en rappel le long de la paroi. C'est hyper-flippant de voir ce que les paparazzis sont capables de faire pour avoir une bonne photo.

Les Connections lâchent leur guitare, se lèvent et rejoignent quatre Jet-Ski qui sont apparus sur la plage comme par enchantement. FX invite la belle Djess à monter avec lui, Vince demande à Janine, la sublime Black... OK, c'est bon, je connais la suite, Ricky va proposer à Tamara et moi...

– LISE !

... je suis bonne pour rentrer à la nage avec Régis.

– LISE !

En même temps, qu'est-ce que j'espérais...

– OH LISE !

Je réalise enfin que Ricky s'adresse à moi. Décidément, j'ai du mal à me faire à ce prénom.

– Alors ?! Tu viens ou faut que je t'envoie un texto ?

... me balance-t-il en tapotant la place vide derrière lui.

C'est mes yeux ou c'est moi qu'il a choisie ?!

J'ai jamais autant eu l'impression de m'enfoncer en marchant dans le sable.

Fébrile, je monte derrière lui. Où est-ce que je mets mes pieds ? Et mes mains ?! Et ma vessie ? Quand il démarre au quart de tour, la question ne se pose plus : je m'agrippe à lui pour ne pas être éjectée. On part à fond la caisse pendant que Tamara rapetisse sur la plage. La joue collée contre le dos de Ricky, les doigts crispés sur ses abdos, j'oscille entre la peur et le kif absolu. Je suis quand même juste accrochée au garçon le plus swag de la planète !

Il me demande en hurlant :

– ALORS, ÇA DÉCHIRE PAS ?

– SI, GRAAAAAAVE !

Le vent dans mes cheveux, les éclabous-sures, la vitesse, je suis la reine du monde! Il fait le kéké avec les potes, prend toutes les vagues à fond, fait des dérapages contrôlés (enfin plus ou moins), repart en faisant rugir le moteur, se met debout, frôle les autres Jet-Ski pour les asperger. Je serre les fesses... et tout le reste pour ne pas faire pipi. On glisse sur l'eau, j'ai le vent dans les cheveux, je sens son odeur! C'est énormissime! C'est plus fort que tout ce que j'ai vécu jusqu'à maintenant!

Régis siffle la fin de la récré. En effet, des bateaux nous encerclent maintenant comme des méduses. Des fans interpellent les garçons en se tortillant dans leur Bikini:

– NOUS AUSSI ON A LE DROIT À UNE PETITE BALADE?

– YOUHOU VINCE!

– F-XXXXXXXXXXXXXX!

– ALLEZ! UN SOURIRE POUR MON PROFIL FACEBOOK!

– RICKY ! RICKY ! RICKY !

– SYYYYYL, JE T'AIIIIME !

On remonte sur le yacht en accéléré. Il démarre et s'éloigne en laissant les petits bateaux tanguer dans son sillage. Une citronnade glacée nous attend sur le pont. Je suis la bande en marchant comme un cow-boy. J'ai les vertèbres en miettes, mais un sourire tatoué sur le visage.

✿ 16h03

Une petite pause dans le bonheur ! Il faut absolument que j'aille me dessaler le visage et surtout FAIRE PIPIIIIIIIIIIIIIIII IIIIIIIIIIIIIIIIIIIIIIIIIIIII ! Je descends l'escalier sur la pointe des pieds tellement j'ai peur de ne plus être étanche. Je m'enferme dans les toilettes et galère pour retirer mon maillot humide. Je m'emmêle dans les bretelles croisées et fais rouler sur mes hanches ce Lycra qui colle comme une seconde peau.

Je m'assois enfin et ferme les yeux.

...

...

...

Le soulagement...

J'en pleurerais.

L'émotion passée, je me remoule dans ma gaine. Hors de question que je remette mes fringues cartonnées de sueur, tant pis, je reste en maillot. Ils doivent être habitués maintenant. Une touche de gloss et je remonte.

– Oups, pardon...

J'enjambe Vince et Janine qui se sont assis à l'écart pour s'embrasser. OK... Espérons qu'il n'y ait pas eu aussi un rapprochement Ricky-Tamara en mon absence. Je presse le pas.

Cool. Rien à signaler sauf qu'ils ne m'ont pas attendue pour lancer un «Action ou vérité». Ils se la jouent «on fait pas ça sérieusement, bien sûr, on a passé l'âge». En attendant, FX est hyper-attentif aux réponses de Djess, et Tamara n'a qu'une envie, c'est proposer une action à Ricky.

Je reste un peu en retrait. Les questions fusent, j'ai peur de me prendre une balle perdue.

FX à DJESS : Action ou vérité ?

DJESS : Vérité.

FX : Avec quel genre de vêtement tu dors ?

DJESS : En nuisette.

Genre... Elle doit avoir un pyjama Snoopy comme tout le monde.

DJESS à VINCE : Action ou vérité ?

VINCE : Action.

DJESS : Imite une personne qui est ici.

Vince ne se fait pas prier, il se lève, bombe le torse et balance :

– C'est qui l'boss ?

Un petit geste pour se recoiffer la mèche, une pointe d'accent savoyard, une démarche limite dansante, tout y passe : c'est Ricky tout craché ! Il le fait trop bien ! Au début, on hésite, mais on finit tous par pleurer de rire, Ricky compris. Trop bonne ambiance, le mec.

Vince se rassoit et demande à Tamara :

VINCE : Action ou vérité ?

TAMARA : Vérité.

VINCE : Si tu devais changer quelque chose de ton corps, ce serait quoi ?

TAMARA : Hum... Ma bouche.

Mais c'est déjà fait ! Ça crève les yeux ! On joue à « Action ou mensonge » ou quoi ?

TAMARA à RICKY (on s'en serait douté) : Action ou vérité ?

RICKY : Action.

TAMARA : Embrasse la fille de ton choix.

Mon cœur s'arrête.

Avec un petit sourire, Ricky regarde Tamara, Djess, puis il se retourne et m'envisage aussi ! Il se lève (hein ?), s'approche de moi (c'est-à-dire ?) et m'embrasse... sur la joue. Tout le monde se met à huer. Ricky se défend :

– Bah quoi, j'embrasse une fille. Si vous êtes pas contents, fallait préciser où. À toi, Lise, action ou vérité ?

Houlà, ah bon ? Je joue aussi ?

– Heu...

Répondre à Ricky, vite. Quel est le moins pire ? Action ou vérité ? Action, je ne me sens pas la force physique, donc...

– Vérité.

– Est-ce que t'as déjà fait quelque chose d'illégal ?

– Je me suis coupé la frange toute seule.

Ça fait marrer tout le monde. J'en reviens pas, ça m'est sorti comme ça ! C'est clair : c'est hyper-drôle !!! OK, j'ai la main, le tout maintenant, c'est de la garder. Je me lance :

– Ricky, action ou vérité ?

– Vérité.

– Heu... Quelle est ta plus grande humiliation ?

Il me sourit en creusant ses fossettes et me répond :

– Me coincer la mèche dans la veste en jean d'une fille.

Tout le monde le chambre, mais il s'en fiche, il me regarde, amusé. Je rougis. Incroyable.

Pendant ce temps-là, Tamara balance à FX :

– Action.

– Fais la danse de la poule.

Elle grimace :

– Pardon ?

FX rigole grassement :

– Qu'est-ce que t'as pas compris dans « fais la danse de la poule » ? Tu danses, mais comme une poule.

Ça ricane autour de moi. Je suis trop mal pour elle. Elle se lève à contrecœur, mais joue le jeu : fesses en arrière, bras pliés, elle glousse, donne des coups de bec, tellement bien que tout le monde rigole. Elle va même jusqu'à faire comme si elle pondait un œuf. Ricky est plié.

Penser à travailler mes imitations animalières.

 **17h06**

La fin de l'après-midi approche, je commence à avoir une boule dans le ventre. La journée est passée comme un éclair. Pourquoi c'est toujours au moment où tu commences à t'amuser qu'il faut partir ? En plus, le soleil s'est planqué derrière les nuages gris (j'ai peut-être pas eu tort de prendre mon K-way finalement).

Je descends pour enfiler mon tee-shirt et mon jean, avec un petit coup de déo, ça devrait le faire. Ricky me suit.

C'est-à-dire ?

J'avance vers les toilettes. Il est toujours derrière moi.

Je commence à avoir du mal à respirer.

Je m'arrête devant la porte, me retourne, pose une main contre le mur genre «je suis hyper-détendue» et lui demande :

– Tu veux quelque chose ?

– Yep.

– Qui ? Enfin... tu veux QUOI ?

– Passer.

– Passer ? Ah d'accord, excuse-moi.

Je me décale.

– Merci, miss. Je vais voir mon furet, tu veux venir ?

– Pour sûr !

POUR SÛÛÛR ?! C'est la première fois de ma vie que je dis ça... Pourquoi maintenant ?

Il ne relève pas, me passe devant en me frôlant (là, j'ai pas rêvé) et trace. Je le suis docilement. Il a posé la cage au frais, sur le lit d'une cabine. Il sort Yves et s'assoit pour le caresser. J'ose poser une fesse à côté de lui. Je fais mine de m'intéresser à l'animal mais, à l'intérieur de moi, il y a une ville en flammes, un volcan en éruption, un ouragan qui embarque tout sur son passage : JE SUIS SEULE DANS LA CABINE D'UN YACHT AVEC RICKY DES CONNECTIONS !

Il le papouille, le grattouille, le fait courir sur ses épaules, puis le redépose dans sa cage. Et là, stupeur et tremblements, il se met à me fixer avec ses yeux couleur ciel d'orage... en s'attardant sur mes lèvres ! Je me liquéfie à l'idée qu'il puisse tenter quelque chose. S'il s'approche de moi, notre premier baiser va se transformer en bouche-à-bouche. Il me prend la main. Mon pouls s'accélère...

Il la lâche aussitôt en disant :

– C'est bien ce que je me disais : t'es glacée, c'est pour ça que t'as les lèvres vio-
lettes. Tiens…

Il me file un sweat rouge posé sur une
chaise, m'ébouriffe les cheveux et s'en va.

…

Et s'en va ?!

Et s'en va.

Et revient ?

Je passe une tête dans le couloir.

Non, ne revient pas.

…

Bon, bah, ils ne se marièrent pas et n'eurent
aucun enfant.

♥ 17h49

Je reste assise sur le lit le temps de refaire
des globules rouges. Quand je sors sur le

pont, le bateau est en train d'accoster. Les Connections et les filles discutent de leur programme de ce soir: restaurant privatisé, boîte à la mode... tout ça sans «Lise» et ça n'a l'air de chagriner personne. Bien... Vient donc le moment des adieux déchirants, surtout pour moi.

Ricky me checke:

– Tu donnes des *news* sur le forum, on le lit tout le temps.

– Bien sûr...

Je prends la passerelle, la mort dans l'âme. Je retraverse le troupeau de fans. Dans ce sens-là, c'est beaucoup moins rigolo, surtout que j'aperçois mon père qui me fait des grands signes. Il n'aurait pas pu se garer plus loin? J'avance vers lui avec des pieds de plomb.

Au moins j'ai gardé le sweat. Ce sera ma prise de guerre.

✦✦★ 18h10

En prenant la rocade, mon père revient à la charge pour la troisième fois :

– Bah alors, tu ne me racontes rien. C'était pas bien, ta journée ?

– Si...

– T'es déçue, c'est ça ? C'est souvent le cas quand on rencontre les gens qu'on admire. Je me souviens quand j'ai rencontré ce grand zoologiste qui...

– P'pa... Tout va bien. C'était top. On peut parler d'autre chose ?

– Comme tu veux.

Il met son clignotant et prend la route qui monte vers chez nous. Il me jette un regard :

– Au fait, t'as pas l'impression d'avoir oublié quelque chose ?

– Où ça ?

– Réfléchis bien.

– Ooooooooooooooh, mais si! L'auto-graphe de Candice!

– Je ne pensais pas à ça.

– Attends, papa, tu te rends pas compte, là, faut que je retourne au bateau!

– Louise...

– C'est l'horreur intégrale si j'ai pas cet autographe!

– Louise!

– Candice va me tuer!

– Loui-seu!

– Oui, quoi?

– T'as pas eu de texto de Nathan?

Je plaque mes mains sur ma bouche. Mon père me rassure:

– T'inquiète pas, ma chérie, il a fini par joindre ta mère sur le fixe, elle m'a lais-sé un message que j'ai eu à la fin de ma conférence. Je suis allé ausculter Véga en urgence, tout va bien, elle avait juste une épine coincée dans le sabot.

– Donc, c'est bon, elle pourra courir demain ?

– Elle pourra même gagner.

Ouuuufff ! C'est pas passé loin. N'empêche, c'est abuser ! Comment j'ai pu oublier ?! J'ai zappé ma besta et mon besta dans la même journée ! Faut absolument que j'essaie de croiser Nathan avant la course pour m'excuser.

Mon père me coupe l'herbe sous le pied :

– Tu veux aller t'excuser ? Je peux te déposer devant chez lui.

– Maintenant ? Oh non, je le sens moyen, là.

– Allez, comme ça, ce sera fait. J'ai bien senti qu'il avait très mal pris que tu ne le rappelles pas. Comme je suis ton père, il n'a pas trop chargé la mule, mais il l'avait mauvaise.

– Mais je captais pas !

– Ah bah, très bien, tu lui diras ça.

Je sais qu'il a raison, mais ça me soûle.

C'est bon, d'où il l'a trèèès mal pris ? Il se doute bien que je l'ai pas fait exprès. Il me connaît quand même. Si j'avais pu faire autrement, j'aurais fait autrement. J'ai pas envie de finir cette journée sur des ondes négatives. Il va falloir que je l'affronte, il va me faire une tête de quinze mètres de long, et vas-y que je me justifie, et patati et patata, j'ai aucune énergie pour ça. Oui, je suis égoïste, mais ça va, oh, parfois on a envie de ne penser qu'à soi. Aujourd'hui, c'était MA journée, demain ce sera la sienne et puis c'est tout. En plus, mon père lui a débrouillé le truc, c'est bon quoi !

Je m'apprêtais à lui dire non, quand mon cher papa s'arrête pile-poil devant chez Nathan.

– Oh non, papa, demain matin sans faute, j'y vais.

– On ne remet jamais au lendemain ce qu'on...

– C'est bon, c'est bon.

La haine. Je ne peux plus reculer, je déteste ça ! J'ai horreur qu'on décide pour moi, qu'on me mette devant le fait accompli, bref, ce que font en général les parents.

– Tu seras contente de l'avoir fait.

Je pousse un soupir très appuyé en espérant que ça le fasse changer d'avis. Queud'. Il se penche sur moi et ouvre ma portière :

– Courage, ma bichette.

Je descends de la voiture en soufflant comme un buffle. Mon père trace sans aucune compassion. Je remonte l'allée qui mène au perron (ou à la guillotine, question de point de vue) et sonne. J'entends les baskets de Nathan dévaler l'escalier. Je n'en mène pas large. Il ouvre. Surpris de me voir, il tente de me refermer direct la porte au nez. Je glisse in extremis mon pied. On reste là, à se regarder comme deux bouffons.

Il finit par rouvrir et me balancer :

– Qu'est-ce que tu veux ?

– M'excuser.

– De quoi ? De m'avoir zappé ?

– Je t'ai pas zappé, je captais pas.

– Pendant tout l'après-midi ?

– Nan... enfin si... En fait, quand j'ai vu ton texto, j'avais pas de réseau, pas une barre, donc je ne pouvais pas te répondre. Et après, peut-être que mon téléphone captait dans mon sac, mais moi, j'étais pas là, j'étais dans l'eau ou sur la plage ou sur un Jet-Ski...

– Ah ouais, pardon, t'avais mieux à faire quoi.

Pourquoi j'ai sorti le Jet-Ski ? Je suis là pour m'excuser, pas pour le narguer.

– Le prends pas comme ça, j'étais grave en stress pour toi, mais qu'est-ce que tu voulais que je fasse ? Que je revienne à la nage ?

– T'as essayé d'emprunter le téléphone de quelqu'un ?

– ... Nan.

– T'as bougé sur tout le bateau en levant le bras ?

– Nan.

– T'as attendu que le réseau revienne plus de deux minutes ?

– Ah ça oui, j'ai attendu !

– Combien de temps ?

– Au moins... dix minutes.

– Waouh...

Il fait une petite moue genre hyper-impressionné :

– Dix minutes ! Sur du temps que t'aurais pu passer avec Ricky ?! Je suis grave flatté !

– Ça va, j'ai pas mérité ça non plus, je te dis que je m'excuse ! J'avais un peu la tête ailleurs, mais c'est normal, non ? Tout une aprèm avec les Connections ! Mets-toi à ma place.

– J'aurais préféré être à ta place plutôt qu'à la mienne, si tu veux tout savoir... J'ai vu le moment où Véga boiterait à vie, t'imagines si je ne pouvais plus jamais la monter, si elle était plus bonne qu'à pouliner!

J'ose un malheureux:

– C'était juste une épine...

Il me dévisage et me balance froidement:

– Je pensais que s'il y avait une personne sur Terre qui pouvait comprendre, c'était toi, bah, je me suis gouré.

– Mais j'ai compris: t'as eu peur, mais avoue qu'il y a eu plus de peur que de mal... au final... non?

Bon bah, c'est encore pas ce qu'il fallait dire apparemment.

Penser à m'abonner à *Psychologies Magazine*.

Nathan n'a pas du tout la tête du mec prêt à passer l'éponge. Il commence à me gaver. Je change de ton:

– En fait, t'es jaloux.

– Quoi?!

– T'es jaloux que j'aie passé du temps avec les Connections.

– Tellement rien à voir ! Je m'en fiche de ces mecs !

· Genre. Tu les adores.

– Je les « adore » parce que tu les adores.

– Ah bon ? C'est nouveau, ça.

– Non, c'est pas du tout nouveau, mais tu vois rien. Tu sais quoi ? Laisse tomber.

– Je vais surtout te laisser te calmer et on se voit demain.

– Non, on ne se voit pas demain.

– Bah si, c'est ta compète.

– Justement, je ne veux pas que tu viennes.

– D'où tu veux pas que je vienne ?

– Vu comme ma vie t'intéresse, fais pas genre t'es dégoûtée.

Prends-toi ça dans la face. Je contre-attaque :

– T'as raison, j'ai beaucoup mieux à faire de toute façon.

– Bah, très bien.

– Exactement, très bien ! Salut !

Je tourne les talons. La porte claque dans mon dos. Je remonte l'allée, vénère. Pour qui il se prend ! Je lui ai demandé pardon, qu'est-ce qu'il voulait que je fasse de plus ? Que j'arrive avec un bouquet de fleurs et un petit poème d'excuses ? Que je pleure en m'arrachant les cheveux ? Que je m'engage à curer les sabots de Véga pendant un an ? Eh bah non ! Même pas en rêve ! Ça va, j'ai tué personne !

Je tourne dans ma rue, la gorge serrée.

Comment il a réussi à me gâcher la journée ! Merci !

Je le déteste ! Je le déteste ! Je le déteste !

♡ 18h51

En rentrant, je m'enferme direct dans ma chambre. Super, le « meilleur ami », je fais une erreur et je m'en prends plein la tête ! C'est pas moi qui étais là quand il a perdu son oncle peut-être ? Et quand il s'est fait opérer de l'appendicite, c'est pas moi qui lui apportais les photocopies de ses cours ? Il a la mémoire courte, franchement !

Gros, gros besoin de me changer les idées, sinon, je me connais, je vais ruminer toute la soirée. Je sors ma tablette et mate *Golden Voice* en replay. Samedi dernier, j'ai loupé l'émission parce que ma tante et mes cousins ont débarqué pour dîner. Faut que je rattrape mon retard pour être au taquet demain soir.

Ah tiens, c'est marrant, un des candidats interprète *Carpe Diem* des Connections. Dire que j'ai passé l'après-midi avec eux, que Ricky m'a invitée à m'asseoir sur son Jet-Ski, qu'il m'a embrassée sur la joue, qu'il m'a dit que ma voix défonçait...

Ma mère m'appelle pour dîner. Je hurle :

– J'arriiiiiive !

Avec ma voix qui défonce, donc.

Enfin, «j'arrive»... Je dis ça pour la forme parce que les parents, faut les dresser, si on leur obéit tout de suite, ils prennent de mauvaises habitudes. Les prestations s'enchaînent sur ma tablette, mais j'ai du mal à me concentrer. Des chanteurs que j'aimais bien se font virer, mais je m'en fous. En fait, je suis tellement sonnée par la journée que je viens de vivre que tout me paraît sans intérêt.

J'éteins et regarde les affiches des Connections avec un œil nouveau : FX me paraît moins sympa, Syl, un peu lourd, Vince, transparent, et Ricky... non, Ricky reste Ricky. Au cinquième appel exaspéré de ma mère, je consens à aller à table.

 **21h27**

Je referme la porte de ma chambre et je m'assois sur mon lit. Oh le dîner inter-mi-nable !!! Les parents comprennent vraiment rien, et quand ils essaient, c'est pire : ils posent que des questions débiles. Quant à ma sœur, elle a passé son temps à envoyer des textos à ses copines. Elle sort en boîte ce soir, donc mes histoires de gamines, elle s'en tape de chez s'en tape.

Je viens de vivre un truc de ouf et, juste, je ne peux le raconter à personne. Nathan, bon, c'est mort et Candice, je n'ai pas son autographe, donc je ne suis pas hyper-pressée de lui parler.

On m'appelle sur Skype.

Maman a oublié d'éteindre la box ?! C'est bien ma chance... C'est Candice, bien sûr. J'hésite, ça sonne, j'hésite, ça sonne... La tentation est trop forte, je craque :

– Wesh meuf !

Nos deux images apparaissent en même temps. La sienne est un peu moins rouge fluo, mais j'ai à peine le temps d'en parler qu'elle attaque :

– ALORS ?

Ah ! enfin la bonne personne qui me pose la bonne question !

– C'était mor-tel !

– J'en étais sûre ! Comment j'ai trop pensé à toi toute la journée ! Ils étaient là tous les quatre ?

– Tous les quatre ! Et attends, sur un yacht !

– Je te hais !

– J'ai vu Ricky en maillot, s'te plaît, je l'ai vu plonger, je l'ai vu jouer de la gratte sur une plage, je l'ai pris dans mes bras !

– Quoi ?! Me dis pas que tu l'as pécho !

– Nan, quand même pas.

– Alors d'où tu l'as pris dans tes bras ?

– Sur le Jet-Ski !

– Y avait des Jet-Ski ?

– Oui mais, attends, je t'en supplie : y avait un hélico !

– Bien sûr, et une soucoupe volante ?

– Je te jure ! C'était chanmé ! On a même fait un bœuf sur la plage !

– Trop calé !

– Tu sais ce que ça veut dire ?

– Tu me prends pour une bolosse ou quoi ?

Comment j'aurais trop aimé qu'elle soit là. Je lui raconte tout dans les moindres détails. On se tape des barres de rire, même de mes pires humiliations. Au moment où je ne m'y attends plus du tout, elle me lance :

– Et t'as mon autographe alors ?

– ... C'est mieux, ton visage. T'as fait quelque chose ? T'as mis de la crème ?

– Louise ?

– Oui ?

– Oh, non, je le crois pas : t'as pas mon autographe ?

– Bien sûr que si.

– Montre.

– Je peux pas...

– Waï ?

– Il est dans mon sac dans le salon.

– Bah, va le chercher.

– Non parce que... si j'y vais, ma mère va me dire d'arrêter l'ordi.

Candice me croit bof, je sur-mens :

– Je te dis que je l'ai !

– Mouais...

– Tu doutes de ta besta ?

– Un peu.

– Bah, c'est pas cool.

Je me paie le luxe de bouder. Candice revient vers moi :

– Ça va, je te crois. C'est juste que j'ai trop hâte de le voir. Il a marqué un truc particulier ?

– Particulier comment ?

– Je sais pas, il a pas juste signé, si ?

– Ah bah ça... c'est surprise.

– T'es dure... Dez d'avoir douté de toi, Lou.

– Pas grave, mais bon... En plus, j'ai bien galéré pour l'avoir.

– Excuse-moi... Tu me le montreras demain ?

– Bien sûr.

Urgent : changer de sujet.

– Tu sais que Nathan m'a fait un sketch ce soir ?

– Nathan ? Mais qu'est-ce qu'on en a à faire de Nathan !

– ... T'as raison.

– Vas-y, continue !

– Bah, je sais pas, moi... heu... Vince a pécho une meuf.

– Ah ouais ?!

– Et téma le prochain *Voici,* y a des chances que j'y sois.

– NON ?!

Candide est séchée. Pour une fois que c'est moi qui ai du lourd à raconter, j'en rajoute, j'étire, j'embellis, bref, je fais durer le plaisir.

 **23h01**

Je n'arrive pas à dormir. Comment je vais faire pour son autographe? J'ai menti à ma meilleure amie, je me sens sale. Je me suis relevée pour chercher la signature de Syl sur Internet. Je copie bien celle de mes parents dans mon carnet de correspondance, pourquoi pas celle de Syl, mais j'ai rien trouvé. Je suis en *bad*. Je me suis déjà embrouillée avec Nathan, je ne peux pas aussi m'embrouiller avec Candice.

Elle me l'a demandé comme un service, j'avais mon bloc-notes, un crayon et tout l'après-midi pour ça, mais non, j'ai été trop naze, en mode perso.

...

...

...

Non, c'est impossible, je ne peux pas être cette fille-là.

Faut que je trouve une solution.

Samedi

L'autographe
coûte que coûte

✿ 7h45

J'ai passé une nuit atroce. J'ai rêvé que Nathan sortait avec Tamara pendant que j'étais en train de me noyer. Je criais, je criais, tout le monde s'en fichait. À un moment, j'ai cru que Ricky venait me sauver en Jet-Ski, mais non, c'était Candice qui me fonçait dessus. Je me suis réveillée en sueur juste avant qu'elle me décapite.

Pourvu que ce ne soit pas un rêve prémonitoire...

Candice ne m'appellera pas avant midi, le temps de se réveiller, de faire ses boucles et de manger ses Spécial K. Ça me laisse donc cinq heures pour obtenir cet autographe. J'ai vu des gros Tour Bus garés sur le parking du Nikaïa. Quelles sont mes options ? Contacter le régisseur pour qu'il fasse signer Syl et me laisse le papier à l'accueil ou y aller moi-même d'un coup de vélo avant qu'ils partent pour Cannes (si c'est pas déjà fait). L'autographe sur une feuille volante, ça va finir à la poubelle, donc faut que je me speede !

J'enfile *the* sweat, un jean, des Converse et sors de ma tanière pour aller petit-déjeuner. On ne fait jamais rien de bien le ventre vide.

Ma mère m'accueille avec un sourire en coin :

– T'es tombée du lit ! Remarque, t'as raison de commencer tôt parce que ça va te prendre du temps de ranger ta chambre.

... LA LOOOOOOOSE !

J'essaie de me défiler :

– T'es sûre qu'on avait dit aujourd'hui ?

– Sûre.

– Parce que là, en fait, on est samedi.

– Oui. Et ?

– C'est mieux le dimanche, non ?

– Ne commence pas, Louise, je t'ai fait confiance.

– Attends, maman, écoute, on dit dimanche et, pour le même prix, je te fais la salle à manger et le salon !

– Louise, une promesse est une promesse.

Justement, j'ai aussi promis un autographe à Candice. Je passe en mode négociations :

– Bon bah, d'accord, je le fais cet après-midi alors.

– Non, non, l'après-midi, ça suffira pas, tu t'y mets dès ce matin !

– …

– Louise !

– Oui.

– Je voudrais qu'on soit bien claires : tu t'y mets dès ce matin ou alors je te confisque ta tablette pendant une semaine.

– Quoi ?

– T'as raison : deux semaines.

– Mais m'man.

– Tu veux des tartines ?

OK, donc pour elle, le dossier est clos. Je grogne un petit oui et m'assois. Je mâchouille ma tartine tout en essayant de digérer l'info. Bon bah, une chose est sûre : Candice va se chercher une nouvelle meilleure amie à la rentrée. Ou sinon je peux mettre le feu à la maison, comme ça, personne n'ira chercher dans les cendres le pseudo-autographe... Je me brûle le palais avec mon chocolat chaud. Décidément, je la sens pas, cette journée. Je vais quand même essayer d'appeler Régis d'ici une petite heure, mais j'y crois pas trop.

Je me lève, attrape les sacs-poubelle sous l'évier d'une main molle et traîne les pieds jusqu'à ma chambre. Par où je commence? J'ai l'impression que ça fait quatorze ans et demi que je ne l'ai pas rangée. Qu'est-ce que c'est que ces piles, ces tas, ces vêtements en boule, ce gâteau écrasé à côté de mon lit, ces moutons de poussière, cette corbeille qui déborde? Qui vit ici? L'enfant sauvage? Ça m'apprendra à interdire à ma mère de ranger ma chambre... Je me baisse pour ramasser une chaussette, ça fait limite une guirlande avec une culotte et un débardeur. Propre, sale? Je renifle et, dans le doute, je balance tout au sale.

Profond soupir.

Allez, je commence par le placard. Je l'ouvre.

Profond, profond soupir.

Tout est là: les doudounes, les maillots de bain, les chaussures trop petites, les déguisements de princesse... Tiens, une baguette magique ? Si seulement elle avait vraiment un pouvoir...

Je commence le tri sélectif.

 **9 heures**

Ça fait une demi-heure que je trime et rien n'a bougé. Faut dire que chacun de mes gestes pèse quinze tonnes. Ma mère passe la tête dans ma chambre :

– Tout va bien ?

– Hum...

– Ton père est parti à l'aube pour une urgence au zoo de Fréjus.

– Hum...

– Moi, je fais encore passer des oraux ce matin, mais je rentre pour le déjeuner.

– Hum...

– Tu sais où est l'aspiro ?

– Hum hum...

– À tout à l'heure alors.

C'est ça, à tout à l'heure... Je suis sur-soûlée. En plus, je suis en train de ranger l'intérieur de l'armoire, genre le seul truc qui ne se voit pas tout de suite. Il est quelle heure ? 9 h 10 ? Je repose cette vieille paire de babouches dont je ne sais pas quoi faire et prends mon portable pour contacter Régis.

Alors, Régis, Régis, Régis, je fais défiler mon répertoire. Pourquoi je n'ai rien à Régis ?

Parce que je n'ai pas enregistré son numéro.

Je vais rechercher dans l'historique de mes appels. Pourquoi je ne l'ai pas ?

Parce que je l'ai appelé du fixe.

Je vais dans le salon et me rends compte que je ne sais pas du tout comment fonctionne le fixe. Je tapote sur des flèches. Je crois comprendre que ça ne retient que les trois derniers numéros, en l'occurrence, ma tante, ma grand-mère et les voisins... Super. J'avance à grands pas.

En même temps, il n'est que 9 h 12. Et le Nikaïa à vélo, c'est à quoi? Vingt minutes? En comptant une heure sur place d'attente, de tchatche et de rigolades, je serai rentrée bien avant l'heure du déjeuner. Allez, c'est jouable! Je ne peux pas lâcher l'affaire comme ça! Je vais juste remplir quelques sacs-poubelle et les planquer dans le garage. Comme ça, si maman rentre plus tôt, elle trouvera au moins que j'ai bien avancé.

Sitôt dit, sitôt bâclé: je me change en tornade blanche, bourre quatre gros sacs et les entasse à côté de l'établi de papa. Je retourne jeter un dernier coup d'œil dans ma chambre... Ça reste quand même un peu crado.

Un coup d'aspiro (que j'ai mis un temps monstrueux à retrouver).

Nouvelle inspection. Aaah, ça y est : là, ça fait grave illusion ! Je suis presque fière de moi.

Bon, faut que je mette le turbo, le Tour Bus ne va pas m'attendre. Je me tartine de gloss parce que je veux bien être en sweat et en Converse, mais je vais quand même voir Ricky. Je prends mon portable, mon bloc-notes et un stylo, les fourre dans mon sac à dos, sors, enfourche mon vélo et trace.

Quand je passe devant chez Nathan, je relève ma capuche.

♥ 9h31

Je pédale à m'en décrocher les jambes du bassin. Ce serait vraiment trop naze que j'aie fait tout ça pour rien. Au pire du pire, s'ils sont déjà partis :

1. Je ne réponds pas à Candice de la journée (chaud, mais gérable).

2. Je vais sur le forum des Connections.

3. Je trouve quelqu'un de Nice qui va au concert ce soir à Cannes (ça doit bien exister).

4. Je lui demande d'aller voir Régis de ma part pour obtenir l'autographe.

5. Je le récupère le lendemain.

6. Je skype Candice direct.

7. Je fais danser l'autographe devant la caméra.

8. Je lui demande de s'excuser d'avoir douté de moi (abusé, mais bon...).

Rien de tel que pédaler sur un vélo pour pédaler aussi dans sa tête. Au moins, j'ai un plan B si le parking du Nikaïa est vide. J'avance bien, je suis contente, je puise dans des réserves sous-estimées. À cette allure, j'apporte les croissants aux Connections !

C'est normal que je ne sente plus mes jambes? Et que mes articulations grincent? Et que tous mes tendons menacent de lâcher? C'est ça qu'on appelle un «supplice», non? C'est sûr que je n'ai pas un entraînement sportif hyper-suivi (à moins de considérer le shopping comme un sport), du coup je ne tiens pas la distance. Je perds de la vitesse petit à petit et finis par descendre de mon vélo à chaque faux plat.

J'arrive au Nikaïa essoufflée et en nage. Quand j'ai annoncé vingt minutes, ça devait être à vol d'oiseau. Quand on fait tout au mollet, ça prend plutôt le double.

Heureusement, le Tour Bus est encore là. Malheureusement, plein de fans aussi.

♡ 10h14

Je me colle au grillage devant le parking et fais des grands signes désespérés à tous les techniciens qui passent en faisant rouler des caisses. Le souci, c'est qu'on est deux cents à faire la même chose sauf que moi, je hurle :

– RÉGIIIIS !!!

Au lieu de crier FX, Vince, Syl ou Ricky. Des filles me regardent du coin de l'œil comme si je m'étais trompée de groupe... preuve qu'elles ne connaissent pas le régisseur, elles.

J'ai beau gesticuler dans mon sweat rouge et me péter les cordes vocales, ça ne marche pas. Il faut que je change de stratégie ! Je prends le risque de perdre ma place que j'ai gagnée à coups de coude et fais le tour du bâtiment. Les portes d'entrée sont fermées, mais un vigile est là, en train de déplacer des barrières.

Je lui saute dessus :

– Excusez-moi, je dois absolument parler au régisseur des Connections.

– Et moi, j'dois parler au pape.

– Ah non, mais rien à voir, je le connais. C'est un pote ! Il s'appelle Régis !

– Bah, tu dois avoir son numéro, alors.

Bien vu, mais il connaît pas la Mortier. Je rebondis :

– C'est le premier truc que j'ai fait, bien sûr, mais sa messagerie ne peut plus prendre de message.

– Ah, je l'avais jamais entendue celle-là.

– Franchement, si vous croyez que j'ai pas autre chose à faire que de zoner ici un samedi... Vous imaginez quoi ? Que je suis là pour gratter un autographe ? J'ai passé l'après-midi sur un yacht avec eux hier, OK ?

– Mais bien sûr... Tu recules, s'te plaît.

Je ne vais quand même pas me mettre à pleurer, si ?

Je lui fais les yeux du chat de *Shrek*:

– Juste appelez-le. Qu'est-ce que ça vous coûte? De la part de Lise.

Il me regarde. Ah, il y a peut-être un cœur qui bat sous ce gros blouson noir.

– Lise, tu dis?

J'acquiesce, pleine d'espoir. Il dégaine son talkie:

– JiPé, si je te dis Régis, ça te parle?

– Négatif.

– J'ai une gamine qui dit que c'est le régisseur des Connections.

Une gamine? Mais de qui parle-t-il?

J'ai pas le temps de me vexer puisque «Jipé» confirme:

– Attends, si, si, je crois que c'est ça: Régis. Pourquoi?

– Il est encore là?

– Ouais, dans les bureaux.

– Y a une certaine Lise qui l'attend à la porte F. Tu me l'envoies?

– OK.

Il raccroche son talkie. Je murmure un « merci » qui n'a pas du tout l'air de l'émouvoir. Il recommence à bosser en me demandant d'attendre sur le côté. Je me fais toute petite en espérant que « Lise », ça dise un truc à Régis.

⭐⭐💖 10h33

Je me suis rongé toutes les petites peaux autour des ongles. Il arrive enfin, mais dans le speed :

– Ouais, Lise, qu'est-ce qu'il se passe ? T'as oublié un truc sur le bateau ?

Je jette en passant un petit regard super-fier au videur en mode « tu vois que je ne mentais pas ».

– Non... Enfin si...

– Je t'écoute, on n'est pas en avance, là.

– En fait, je... J'ai quelque chose à demander à Vince. C'est un peu perso, donc...

– Quoi? Tu veux un autographe?

– ... Ouais.

La honte, j'ai l'impression d'avoir déran-
gé un pompier pour une écharde. J'évite
de mater le videur qui doit bien se régaler.
Régis m'ouvre une barrière:

– Suis-moi.

Je ne me fais pas prier: je lui colle aux
semelles. On contourne le Nikaïa jusqu'au
parking. Les fans sont toujours là à hurler. Ça fait drôle d'avoir changé de camp.
On se faufile entre les camions. Régis me
laisse devant la porte arrière du Tour Bus.

– Attends-les là, ils ont dormi à l'hôtel
cette nuit, mais ils ne vont pas tarder.

– OK.

– Je peux pas rester, mais je compte sur
toi pour être discrète et faire vite.

– Tu peux.

– On est bien d'accord, Lise.

– J'en ai pour deux secondes. Pars tranquille.

Tiens, je le tutoie... C'est ça, le showbiz.

Il me laisse là. En d'autres termes, il me fait confiance et il a raison. Je vais la jouer efficace : bonjour, bloc-notes, crayon, « pour Candice », signature, tchao ! Bon, j'en profiterai pour claquer deux petites bises à Ricky (pas trois, j'ai retenu la leçon) mais, promis, je ne vais pas m'éterniser.

 **11h09**

Encore faudrait-il qu'ils arrivent. J'ai lu toutes les inscriptions sur le bus et ils ne sont toujours pas là. Et maman qui ne va pas tarder à rentrer...

❀ 11h23

J'ai appris par cœur la plaque d'immatriculation et fait des grands pas pour mesurer la longueur du bus.

 11h41

J'ai grattouillé deux-trois traces de boue. C'est bête, Régis m'aurait donné un seau et une éponge, j'aurais eu le temps de le laver dix fois, ce bus (faute de nettoyer ma chambre). Au moins je me serais rendue utile.

Que c'est loooooooooooooooooooooong.

Penser à emporter ma DS dans tous mes déplacements.

Ils ont décidé de faire des photos avec chaque employé de l'hôtel ou quoi ? C'était bien la peine de pédaler comme une folle au risque de me faire un claquage.

Je tire sur ma frange, enlève une bretelle de mon sac à dos pour faire plus cool, vérifie mon haleine dans le creux de ma main et me mets à fixer la porte du Tour Bus. Je me demande bien à quoi ça ressemble à l'intérieur... Et si j'allais jeter un coup d'œil. Franchement, qui ça dérange ?

Je vérifie que personne n'arrive, monte les trois marches et actionne la poignée. Bingo ! C'est ouvert ! C'est un signe ! Je ne peux pas résister : je passe une tête, puis un pied, une jambe, un bras, puis, sans m'en rendre compte, tout le corps.

Ça sent un peu la chaussette de sport, mais c'est tellement classe... Rien à voir avec le camping-car que mes parents avaient loué en Ardèche. Il y a un grand salon avec écran plasma, des couchettes futuristes, une salle de bains et un mini-Jacuzzi. Tout est hyperbeau, style noir laqué. J'en reviens pas. Dire que c'est dans ce bus que les Connections voyagent... Je me mets à tout examiner dans un silence religieux.

Alors que je suis en train de tester le confort des matelas, j'entends les fans hurler et des voix se rapprocher. Je bondis. Qu'est-ce que je fais? QU'EST-CE QUE JE FAIS?! Si je sors, je suis cramée, genre la fan psychopathe qui vient renifler leurs draps! Les voix se précisent. C'est les Connections! Ils arrivent! Ils sont là! J'entends le marchepied grincer! Je plonge dans une couchette et tire le rideau!

La porte s'ouvre!

Les Connections montent!!

LE BUS DÉMARRE!!! *WHAAATTT????*

♥ 12*h*05

– Hé, Vince? Tu veux un Coca?

La lose... La lose... La lose... La lose...

– Vas-y, balance, gros. La soirée d'hier, elle m'a dé-mon-té la tête.

La lose... La lose... La lose... La lose... La lose... La lose...

– Tape-toi une sieste, mec.

LA LOSE! LA LOSE! LA LOSE! LA LOSE! LA LOSE! LA LOSE! LA LOSE! LA LOSE! LA LOSE!

– Ouais, non, j'ai peur que ça me casse encore plus.

Je ne vais pas réussir à supporter cette épreuve sous pression! Il faut que mon cœur arrête de battre autant, il va me sortir de la poitrine! Pourvu qu'ils ne me trouvent pas sur ce lit! Avec ma chance légendaire, je suis sûre que c'est celui de Ricky en plus! C'est horrible, j'ai envie d'éternuer, de me gratter... Et, pour couronner le tout, comme je me suis recroquevillée en tailleur, j'ai des fourmis dans les jambes et un début de torticolis!

Bon, respire par le nez, Louise... mais sans faire de bruit. Facile à dire.

A priori, on roule vers Cannes puisqu'ils jouent au Palais des festivals ce soir. Donc, résumons ma situation : personne ne sait que je suis coincée derrière ce petit rideau, j'ai pas un euro, je vais bientôt me retrouver à quarante bornes de chez moi, sans aucun moyen de rentrer à temps pour accueillir ma mère, ma chambre est à peine rangée, du coup je vais perdre sa confiance et être privée d'ordi, de tablette et de téléphone portable, bref, être coupée du monde, quoi.

Ça me rappelle que j'ai quand même mon tél.

Alors, qui pourrait venir me sortir de là ?

Le premier nom qui me vient, c'est Nathan. Il serait bien du genre à casser son petit cochon et à sauter dans un bus pour venir à mon secours mais, après l'embrouille d'hier, je ne vais pas aller gratter l'amitié. Mes copines, j'oublie, elles sont toutes en train de se dorer les fesses au soleil. Non, il ne me reste qu'un joker : ma sœur. Le problème, c'est qu'elle est serveuse tout le mois de juillet chez Happy Burger, donc c'est pas gagné pour qu'elle plaque tout sur-le-champ pour mes beaux yeux. Surtout que c'est pas comme si on était super-proches. Depuis qu'elle a eu son bac, elle crâne grave. Elle part en septembre faire ses études à Londres. Moi, j'attends qu'une chose, c'est de récupérer sa chambre qui est quand même beaucoup plus grande que la mienne.

Bon, retour à mon sauvetage. Il est tôt, elle n'a peut-être pas encore commencé son service, de toute façon j'ai pas le choix, il faut que je lui envoie un texto. Je ne vais quand même pas rentrer en stop parce que là, c'est la pension direct.

Nouveau défi : sortir mon portable sans attirer l'attention. Je fais tout doucement coulisser mon sac à dos sur mon ventre et ouvre la fermeture Éclair cran par cran mais, même à cette allure, j'ai l'impression d'ouvrir un paquet de chips. Ça m'aurait pris le reste de la matinée si Ricky n'avait pas eu la bonne idée de mettre des clips à la télé.

– FX ! FX ! Téma comment elle bouge, celle-là !

Je n'ai pas du tout envie d'entendre ça.

– Ah ouais, elle envoie du lourd !

Chut, chut.

– Vince ! Tu loupes quelque chose !

J'entends la chasse d'eau. Décidément, rien ne me sera épargné. Vince sort des toilettes et se fait basher direct :

– Remarque, ça vaut pas Janine, hein !

Syl s'y met :

– T'es *in love* ou bien… ?

– Vous êtes relou. Vas-y, je kiffe cette chanson, FX, mets plus fort, s'te plaît.

Il met le volume tellement à donf que ça fait grésiller les baffles de la télé. *Yes !* Merci ! J'ai jamais autant aimé le rap ! J'ouvre mon sac, attrape mon portable, le mets sur silencieux et tape mon texto plus vite que le Sud-Coréen qui a gagné la Coupe du monde du SMS :

> SOS MARGO !
> j'sui en galR !
> Pliiiiz vi1 vite
> me chercher O
> Palais D festivals !

Elle me répond dans la seconde :

> À Cannes ?

Cool, le contact est établi ! Je confirme :

> Oui ! Sur le parking !

Elle enchaîne :

> M1tNan ?!!!!

Aïe, ça coince, mais pas le temps de développer, je reconfirme :

> Oui ! Dzolé !

Elle ajoute :

> Tu va bi1 ?

Bon point : elle s'inquiète (quand même). Je ne la rassure pas trop parce que plus elle sera flippée, plus elle viendra à mon secours :

> Moy1...

Et là... Plus rien ?!

Les minutes passent, les clips s'enchaînent... Je la relance :

> Je peu conT
> sur toi ?

Toujours rien. Soit son portable n'a plus de batterie... encore (là, je me demanderais vraiment ce que la malchance a contre moi)... Soit elle a sauté direct dans sa voiture, elle a écrasé l'accélérateur et là, elle est collée au Tour Bus en train de faire des appels de phares pour le doubler... Soit elle a éteint son iPhone et commencé son service.

Tout à coup, Ricky crie :

– Baisse la télé, j'entends un truc.

Je relève la tête, affolée. Un truc ? Quel truc ? J'ai rien fait pourtant ! Si ? Mon cœur s'emballe de nouveau. Ils coupent carrément le son et tendent l'oreille.

– T'entends des voix, mec, y a absolument rien.

– Mais si, écoutez !

Je n'ose même plus respirer. Quelqu'un se lève ! Les pas se rapprochent... Je vis mes dernières secondes... J'entends une porte qui s'ouvre.

– Eh bah voilà ! J'en étais sûr ! T'as mal tiré la chasse d'eau, Vince !

– C'est bon...

– Nan, c'est pas bon ! J'ai pas envie d'éponger derrière toi !

– Genre c'est toi qui vas le faire.

– Fais gaffe, t'es en train de pécho la grosse tête.

– Trop pas.

Je reprends forme humaine. Je ne tiendrai jamais, ni mentalement, ni physiquement. Et ma sœur qui ne me répond toujours pas... Ah si ! Nouveau texto d'elle ! *Yes !*

> J'arrive, mais
> t'abuses !!!

Bon, la forme craint, mais le fond est *Kinder Bueno !!!*

– Alors, Vince, comment elle est Janine ?

Pitié, ils ne vont pas remettre ça. Si j'ai bien compris, quatre mecs de 18 ans ensemble, ça pète, ça rote et ça parle de filles, même si c'est les Connections. Je suis contente de ne pas avoir de frère... Enfin aujourd'hui, je suis surtout contente d'avoir une sœur.

✦★ 13h25

On se gare enfin à l'arrière du Palais des festivals après un voyage au bout de l'enfer. On s'est arrêtés une plombe pour prendre de l'essence, on s'est tapé des embouteillages à l'entrée de la ville et, pour finir, la grille du parking ne voulait pas s'ouvrir. Du coup, j'ai enduré une partie de tarot entière à base d'injures et de blagues. Dans mon coin, j'étais tiraillée entre la peur, la douleur et l'ennui.

Au lieu de descendre tout de suite, les Connections font durer mon calvaire. Ils se changent, répondent à leurs mails, se vannent, reparlent de toutes les filles qui étaient sur le bateau, sauf de moi. Je pensais avoir été la mascotte de la journée, bah visiblement, je me suis trompée. J'ai même pas eu droit à : « Elle chantait bien, la p'tite », rien. C'est à se demander si j'y étais.

Régis vient les chercher. Je me crois sortie d'affaire. Pas du tout. Il annonce à Ricky :

– Y a le kiné qui est là. Tu préfères qu'il te masse ici ou dans les loges ?

Je suis à deux doigts de lui souffler son texte : « Dans les loges... »

– Je préfère ici. On sera plus tranquilles.
J'aurais pu le parier...

♡ 14h01

Ce massage du genou, c'est le coup de
grâce. Je suis ratatinée dans ma cachette,
j'ai limite les doigts de pied dans le nez.
Si je m'écoutais, j'ouvrirais le rideau et je
dirais au kiné qu'il y a du travail par ici
aussi. Et ça malaxe, et ça soulage les tendons, et l'odeur de ce baume qui pique les
yeux. Ricky raconte son accident dans les
moindres détails. C'est émouvant, mais
bon, c'est pas comme si je ne connaissais
pas l'histoire par cœur. Après « Ricky fait
du ski », « Ricky se fait mal » et « Ricky
change de vie », on passe à « Ricky chante
ce soir ». Et patati et patata, ça n'en finit
pas de finir. Est-ce que quelqu'un pourrait

venir m'achever? J'en peux plus d'être en apnée, il faut que je respire, il faut que je sorte, je deviens claustro là-dedans. Je meurs de faim en plus. De là à ce que mon ventre gargouille et que je me fasse griller, y a pas loin.

Je vois « Maman » qui s'affiche sur l'écran de mon téléphone! Il ne manquait plus que ça! J'imagine qu'elle m'appelle pour m'annoncer que je suis officiellement punie. Pas de message... Étrange...

Ah, y a du mouvement!

À l'oreille, je devine que le kiné remballe son matériel et se lève:

– N'oubliez pas de mettre votre genouillère ce soir.

– Vous inquiétez pas, j'oublie jamais.

– Super. Bon concert, alors.

– On va essayer.

– Au revoir.

– Au revoir, monsieur, merci beaucoup.

– De rien. Ça m'a fait plaisir.

– Et moi, ça m'a fait du bien.

Oh! Ça va! Ils se sont serré la main, ils se sont dit « au revoir », faut partir maintenant! La porte s'ouvre, mais je n'entends pas le kiné descendre. Qu'est-ce qu'il attend? Il a envie d'utiliser les toilettes ou quoi?

Le kiné se décide enfin:

– Pardon, hein, je suis désolé de vous demander ça, mais si je le fais pas, ma fille va me tuer...

– Vous voulez un autographe? Pas de problème.

– Ah... bah oui... OK, merci, c'est super.

J'hallucine, il a l'air déçu. Qu'est-ce qu'il lui faut? Un sunday caramel supplément cacahuètes? Ricky le remarque aussi:

– C'est pas ça que vous vouliez?

– Si... Non... Pardon, j'ai honte...

– Faut pas, dites-moi.

– S'il vous restait, par hasard, deux petites places pour ce soir... Même payantes, hein! Quand je suis allé sur Internet, c'était déjà complet et depuis, elle déprime.

Tout le monde n'a pas la chance d'avoir Nathan dans sa vie. J'ai un petit pincement au cœur.

– On va aller voir le régisseur ensemble, il va sûrement nous arranger ça.

– Ce serait formidable! Je sais que j'abuse, mais si je pouvais lui faire la surprise ce soir... En plus, je l'ai qu'un week-end sur deux. Non, franchement, c'est, ce serait... Enfin, si vous pouviez, vraiment, je vous serais redevable...

OK, je reconnais, c'est super, un papa qui se bouge pour sa fille, mais BOUGE! MAINTENANT!

À croire qu'ils m'ont entendue: ils partent enfin! J'y croyais plus! Une crampe atroce m'électrise alors le pied, je bondis de ma couchette en étouffant un hurlement, attrape mes orteils et les tire vers moi le plus fort possible. Ça passe difficilement, mais ça passe. À une minute près, je sortais comme un diable de sa boîte et j'étais responsable de deux crises cardiaques... sans compter la honte en pièce jointe.

 **14h12**

Ils sont loin là, non ? Je peux sortir du bus sans être plaquée au sol par des agents de sécu ? Je mets mon sac à dos, inspiration, expiration, go ! Je tourne tout doucement la poignée de la porte, puis de plus en plus désespérément. Ça ne s'ouvre pas ! C'est pas possible ! C'est quoi, l'idée ?! Je suis censée finir mes jours ici, desséchée sous un radiateur ?

Toutes les portes sont verrouillées. Les grandes fenêtres ne s'entrebâillent que de quelques centimètres (j'ai pas beaucoup de seins, mais quand même...). Je tourne sur moi-même, les bras ballants, à court d'inspiration.

Le voyant « coup de fil à un ami » s'allume dans mon crâne vide. OK, mon portable... mon portable... Où est mon portable ?

SUR LE LIT ?!

Quelle quiche, j'ai failli l'oublier ! C'est comme si j'avais tué quelqu'un, nettoyé la scène de crime au Coton-Tige et que j'avais refermé discrètement la porte en laissant ma carte de bibliothèque sur la table.

Ah, un texto de ma sœur :

T où ?

Sur le parking.

Je te voi pa !

Ds le gro bus noir.

D100 !

Pa poss.

Pourkoi ?

Je suis coinC.

Ça frappe à la porte. Je sursaute. Ah non, par pitié, je ne veux pas retourner me cacher dans ma couchette !

– T'es là, Louise ?

Je reconnais la voix de Margaux et cours coller ma bouche à la porte :

– Oui ! Je suis là ! Ricky m'a enfermée en sortant !

– Hein ?! Pourquoi il a fait ça ?!

– Parce qu'il ne sait pas que je suis là.

– Quoi?! Mais comment c'est possible?

– Je te raconterai, mais d'abord, faut que je sorte!

– Je vais faire le tour pour voir si un truc s'ouvre, attends-moi là, je reviens.

– Où veux-tu que j'aille?

Elle est marrante, elle. Je l'entends s'exciter sur la poignée de la soute à bagages. Je lève les yeux pour implorer le ciel de me donner un petit coup de pouce... et c'est là que je vois le grand vasistas! Je devrais pouvoir sortir par ici en grimpant sur l'échelle des couchettes et en m'écartelant un peu.

Ma sœur revient:

– C'est mort, tout est fermé.

– Je sais, mais je crois que j'ai trouvé une solution.

Je ne lui en dis pas plus, c'est le genre de plan qu'il faut voir en action. J'escalade, tends le bras et, incroyable mais vrai: la chance me fait enfin un clin d'œil! J'ouvre le vasistas assez largement pour passer, m'accroche à l'encadrement, prends appui sur le mur et me hisse sur le toit!

Tadam!

Bon, maintenant, c'est pas l'tout, faut redescendre.

– Psssit! Hé! Margaux!

Ma sœur lève la tête et écarquille les yeux:

– Par où t'es passée?! Et par qui tu t'es fait charcuter la frange?!

– Par le vasistas et par moi, mais c'est pas le sujet du jour. Colle ton dos au bus, je vais poser mes pieds sur tes épaules et sauter par terre.

– Je le sens moyen. Tu vas basculer en avant et t'écraser comme une bouse.

– Mais non! Vite avant que quelqu'un arrive!

– Viens à l'avant du bus, tu pourras t'aider des rétros, ça te fera une première étape.

Je me penche, il y a en effet deux gros rétros qui dépassent comme des oreilles d'éléphant. Je me déplace à quatre pattes jusqu'à l'avant (ça n'a l'air de rien comme ça parce que le bus est à l'arrêt mais, quand on est sur le terrain, ça ressemble à une cascade de ouf). Heureusement qu'on est cachées par les gros camions de la technique. Ma sœur se met en position et se crispe comme si elle s'apprêtait à réceptionner un sac de sable. Allez, à trois ! Un... Deux... Deux et demi... Deux trois quarts... Deux quatre cinquième... Deux cinq sixième...

– Bon, tu te décides !

– T'es gentille, c'est hyper-haut !

– Vise le rétro !

– Tu crois que j'ai des yeux sous les pieds !

– Grouille ! On va finir par se faire repérer !

Je me mets sur le ventre et commence à glisser le long de la carrosserie en flippant :

– Ça sent la fracture... Ça sent l'hosto... Ça sent le plâtre...

– Plus à gauche, ton pied! Non... plus à gauche! Voilà!

Je suis debout sur le rétro qui, miraculeusement, ne cède pas sous mon poids. En glissant mes doigts dans la rainure de la porte, j'arrive à m'asseoir à califourchon dessus. Une main ventousée sur la porte, l'autre sur le pare-brise, on pourrait croire que je fais un énorme câlin au bus, genre la fan ultime, mais non, je suis juste tétanisée.

– Qu'est-ce que tu fais???

– Une petite pause.

– Tu veux pas que je t'apporte une tasse de thé et des biscuits?!

– Je voudrais bien t'y voir!

– Active, Louise!

Je balance mon sac qui tout à coup me gêne et tâtonne du bout des orteils jusqu'à trouver l'épaule de ma sœur. Après tout, c'est comme si je descendais de cheval, sauf qu'aujourd'hui l'étrier est très, très bas. Les doigts glissés dans la rainure, le premier pied calé, je passe mon autre jambe au-dessus du rétroviseur. Je suis donc debout sur l'épaule de Margaux en équilibre sur un pied. La France a d'incroyables talents... Deuxième pied en position, je saute au sol en essayant de ne pas lui casser une clavicule.

Enfin sur la terre ferme ! Je serre ma sœur dans mes bras :

– Comment je te remercie trooop !

– Tu peux parce que j'ai dû mitonner tout le monde pour être là : les vigiles à l'entrée...

– Ah ouais ?! Qu'est-ce que tu leur as sorti ?

– Je leur ai dit, très calme, très professionnelle, que j'étais la maquilleuse du groupe et que j'étais à la bourre. Eh bah, bizarrement, c'est passé. En revanche, avec mon boss, ça a été plus chaud. Le « problème de famille », je dois pas être la première à lui faire.

– Attends, mais C'EST un problème de famille !

– Non, c'est toi qui as encore dû faire une boulette ! Qu'est-ce qu'il s'est passé ?

Je lui explique tout, de ma promesse d'autographe au bus qui démarre. Elle commence par sourire, puis l'accumulation de mes mésaventures la décoince totalement. À la fin de mon exposé, elle pleure de rire :

– Alors là, respect ! Bravo, Loulou, à ce niveau-là, c'est de l'art !

C'est vrai que j'en loupe pas une. C'est à se demander si mes parents ne m'ont pas jeté un sort en m'appelant « Louise » ? C'est quand même un mélange entre « Lose » et « Mouise » ! Avec un petit coup de Mortier derrière, c'est normal que je galère.

Ma sœur ne s'en remet pas, à tel point que son rire devient communicatif. J'en remets une couche en lui racontant le massage du genou. Elle commence à avoir du mal à respirer, si je ne m'arrête pas, je vais la perdre. On n'a pas ri comme ça depuis la fois où on avait mis des boules puantes dans les toilettes des grands-parents.

Elle revient à elle en s'essuyant les yeux :

– Bon, promets-moi de ne plus jamais te mettre en danger comme ça, surtout pour un chanteur débile.

– Promis... mais il est pas débile.

– OK, OK, pardon, il est pas débile. On rentre ?

– Bah heu... Maintenant qu'on est là, je me disais qu'on pourrait peut-être...

– Ah non, Louise, me fais pas ce coup-là !

– Je vais voir Syl, je lui demande l'autographe et je ressors, ça prendra cinq minutes.

– Ouais, ça, c'est comme l'orange pressée que tu devais me faire tous les matins et que j'attends toujours.

– S'te plaît...

– Non.

– Pense à Candice ! Elle ne s'en remettra jamais !

– Non, je te dis.

– Je suis sa meilleure amie, si elle sait que je lui ai menti, elle ne me le pardonnera jamais !

Margaux ramasse mon sac et me le file :

– T'as tout ? On y va.

– Bon bah, j'ai plus qu'à changer de collège.

– Pfff, tout de suite le psychodrame.

On commence à marcher vers sa vieille Twingo (enfin, marcher pour elle, traîner la patte pour moi).

– Margaux... cinq minutes... qu'est-ce que c'est pour toi ?

– Après ce que tu viens de me raconter, tu penses vraiment que ça va prendre cinq minutes ?

– Mais oui...

Margaux soupire (trèèèès bon signe), je transforme l'essai :

– Si on n'a pas l'autographe au bout de dix minutes, on s'en va !

– C'est dix minutes maintenant ?

– Ouais, mais pas une de plus !

Nouveau soupir. La victoire est proche.

– Bon, OK, mais je viens avec toi alors, parce que tu serais bien capable de te faire enfermer sur scène dans une de leurs grosses sphères, là. Je vois d'ici le début du concert, la sphère qui s'ouvre et toi qui apparais dans un nuage de fumée.

Je rigole pour ne surtout pas la contrarier, et direction le Palais des festivals.

 14h52

Il y a un nombre dingue de couloirs dans ce bâtiment ! Et qu'est-ce que c'est mal indiqué ! C'est quand même pas difficile de mettre des petites flèches de couleur

« Scène », « Toilettes », « Loge de Syl »... On croise plein de techniciens qui branchent, testent, déroulent du câble, mais on se voit mal demander notre chemin parce qu'ils risquent de nous poser des questions.

J'ouvre des portes timidement en appelant « Syl », mais c'est comme si on était dans l'aile morte d'un château.

Margaux anticipe chaque microévénement qui pourrait partir en sucette :

– Attention, le fil, te prends pas les pieds dedans... Fais gaffe au coin de la caisse... Houlà, il est bas, ce projo, baisse la tête...

– Oh ! Ça va, j'ai des yeux, tu sais...

– Ah bon ? Alors tu vois quelle heure, là ?

Elle me montre une pendule accrochée au mur et enchaîne sans attendre ma réponse :

– Ton sablier est presque écoulé et toujours pas de Syl à l'horizon, donc on va y aller.

– Nan, nan, nan, on y est, j'en suis sûre !

Je sens que je n'ai plus droit qu'à une porte. Je choisis celle de gauche au fond du couloir, si c'est la cantine, je suis bonne pour repartir bredouille. Arrivée devant ma dernière chance, je pose une main moite sur la poignée, ouvre et là, miracle, j'aperçois les Connections vautrés dans des canapés au fond d'un grand espace détente. Je me retourne vers Margaux genre « qu'est-ce que je t'avais dit ». Elle lève les yeux au ciel et, tout à coup, deux énormes gardes du corps nous gâchent la vue.

– On peut voir vos passes, s'il vous plaît ?

Je sors mon plus beau sourire et me retourne vers ma sœur :

– Margaux, tu peux leur montrer les passes ?

Elle me maudit aimablement :

– Bien sûr. Tout de suite. Alors, les passes... les passes...

Elle cherche dans les poches arrière de son jean.

– Ah flûte, je savais bien que j'avais oublié quelque chose dans la voiture.

Moi, outrée :

– Quoi ?! Oh, non, Margaux ! T'as pas fait ça !

– Si... désolée.

– On peut vraiment pas compter sur toi !

– Je sais.

– C'est dingue, je t'ai demandé une chose et faut que tu la zappes !

– Oui, c'est bon, on a compris.

Elle me fusille du regard et s'adresse aux deux gorilles :

– On va pas vous déranger plus longtemps.

Je lui donne un coup de coude :

– Mais si, attends, ils sont juste là !

Je tente le tout pour le tout, me hisse sur la pointe des pieds et appelle :

– RICKY !

– Mademoiselle, s'il vous plaît!

– Non, mais, c'est trop bête... RICKY!

Ils font barrage de leur corps:

– Ne nous obligez pas à utiliser la force.

– Il me connaît! Demandez-lui! RICKY! RICKY!

– Vous criez encore une fois et...

Une voix s'élève derrière les deux montagnes:

– C'est bon, les mecs, laissez-les passer.

C'est Ricky! Les gardes du corps s'effacent pour nous laisser passer. J'ai envie de lui sauter au cou, mais je me retiens:

– Merci, parce que là, on ne s'en sortait pas.

– Pas de problème. Tu me présentes?

– Ah oui, pardon, Margaux, ma sœur, Ricky des Connections.

Truc lunaire, Ricky claque la bise à ma sœur qui pique un fard. Elle a l'air de le trouver moins débile d'un coup.

– Vous venez voir le concert ce soir?

Margaux répond avec une petite moue :

– Nan, c'est dommage, faut qu'on rentre.

– Ah ouais, confirme Ricky, c'est clair que c'est dommage.

Elle glousse. C'est mes yeux ou il drague ma sœur ?! C'est sûr que c'est loin d'être un laideron, mais quand même, un peu de respect pour moi ! J'ai compris qu'il ne se passerait rien entre Ricky et moi, mais laissez-moi le temps de digérer l'info, les gars... C'est bien simple, je n'existe plus. Je pourrais être en train de danser le sirtaki en costume traditionnel, ça passerait complètement inaperçu.

De toute façon, je ne suis pas là pour être jalouse, je les laisse faire connaissance (et vas-y que ma sœur se tortille, papillonne des cils, que Ricky sort sa voix de velours, son regard numéro 5 de chez Charmant) et je pars en mission « Candice ».

Je traverse l'espace détente et me plante devant ma cible :

– Syyyyl ! Bien ou bien ?

J'ai peut-être attaqué un peu fort, il lève la tête et plisse les yeux :

– Bien... mais heu... excuse-moi, t'es qui ?

C'EST PAS VRAI ! J'Y ÉTAIS SUR CE BATEAU POURTANT !!!

Contre toute attente, je suis repêchée par FX :

– C'est la p'tite meuf qui chante bien, t'étais avec nous à Nice, c'est ça ?

– Exactement ! Voilà ! C'est moi ! Lise ! Salut les gars !

Ils me répondent un « salut » qui ressemble plus à un *« bye »*. C'est pas les conditions idéales pour demander quelque chose, mais tant pis :

– Excuse-moi de t'ennuyer avec ça, Syl, je sais bien que t'as vraiment autre chose à faire, mais...

Même s'ils ne me reconnaissent pas, c'est quand même un peu la honte de redevenir la fan de base qui mendie un autographe :

– En fait… heu… le truc, c'est que j'ai une voisine, sympa hein, mais bon un peu relou, à qui j'ai eu le malheur de dire qu'on se connaissait, enfin que je vous connaissais surtout, et du coup elle m'a suuuuuppliée de venir te demander un autographe. C'est bête, hein, dez. Si tu veux pas, pas de problème, je comprendrais très bien !

Candice un peu moins, mais bon…

Syl lève un sourcil :

– C'est tout ?

– Heu… bah oui.

– J'ai cru que t'allais nous demander de chanter au mariage de ta voisine.

Je rigole bruyamment tout en sortant mon bloc-notes et mon stylo. Syl les prend :

– Elle s'appelle comment, ta meilleure amie ?

Grillée.

– Candice.

– Elle est mignonne au moins ?

– Grave !

– Alors : « À... la... grave... mignonne...
Candice... Love... Syl. » Ça ira ça ?

– Énormissime !

Il rebouche le stylo et me le rend avec
mon bloc-notes que je glisse délicatement
dans mon sac. FX et Vince me charrient :

– Et nous on sent mauvais ?

– Elle kiffe Syl ?! Elle a aucun goût ta copine.

– C'est clair, t'as vu la taille de ses oreilles ?

– Je préfère avoir des grandes oreilles que
des champignons sur les ongles des pieds.

Houlà, il est grand temps que je trace, ça
commence à devenir un peu trop intime
pour moi. Je leur fais un petit signe de la
main, retraverse la salle dans l'autre sens et
trouve ma sœur complètement envoûtée
par Ricky. Je l'ai jamais vue comme ça, on

dirait qu'elle a bu : elle rit en balançant sa tête en arrière, elle se touche les cheveux tout le temps, elle ne tient pas en place.

– C'est bon, Margaux, on peut y aller.

– Déjà ? On vient d'arriver !

Mais qui est cette fille ?

Ricky me complique la tâche :

– Restez ! On va faire la balance !

La quoi ? Cette fois-ci, je garde ma question pour moi et regarde ma sœur sauter d'un pied sur l'autre :

– Oh ouais ! Classe ! J'ai jamais assisté à une balance !

Et moi, je n'ai jamais assisté à un revirement aussi soudain. J'ai l'impression qu'elle va hurler « GUI-GNOL ! GUI-GNOL ! » en tapant dans ses mains. Je la prends à part :

– Margaux, y a un truc que tu ne sais pas... Margaux ? Margaux !

– Oui ?

– Tu peux me regarder, s'il te plaît ?

209

– Oui, quoi?

– Faut qu'on rentre à la maison avant maman. Je lui avais promis de ranger ma chambre, mais j'ai un peu bâclé le doss'. Si elle y regarde de plus près, elle va voir que… Hey, t'es pas avec moi, là.

– Mais si, mais c'est bon, je l'ai eue, maman.

– Ah bon? Quand?

– Quand j'étais en voiture, elle était inquiète de ne pas te voir à la maison.

– Et tu lui as dit quoi?!

– Bah, qu'on allait à une liquidation de jeans Diesel à Cannes.

– Ah ouais? Joli. Et elle t'a crue?

– Bien sûr! Et pour ta chambre, apparemment ça l'a fait aussi parce qu'elle m'a dit qu'elle était très fière de toi.

Je n'en reviens pas. Elle n'a pas dû bien comprendre:

– «Fière de moi»? C'est vraiment ce qu'elle a dit?

– Je crois, oui.

– Tu crois ou t'es sûre ?

– Bah, je crois que je suis sûre.

Sur ce, elle murmure :

– Tu sais ce que c'est une balance, toi ?

– … Pas la moindre idée.

Elle laisse échapper un petit rire et rejoint Ricky. Ah ? Cette conversation est donc finie ? D'accord. En même temps, que dire de plus ? J'ai l'autographe de Syl et les félicitations de maman, plus rien ne m'empêche de kiffer le moment. Je me souviendrais toute ma vie de mes 14 ans et demi (15 dans cinq mois et 29 jours en fait, mais j'aime pas me vanter).

En revanche, je ne sais pas ce que c'est qu'une « balance ». Est-ce qu'on va tous se « balancer » des vannes, ambiance *battle* ? Est-ce qu'on va tous se peser les uns après les autres ? Suspense…

❀ 15h23

A y est, je sais ce que c'est qu'une balance ! C'est une sorte de son et lumière rien que pour Margaux et moi ! On est assises dans les gradins vides pendant que les Connections repèrent leurs marques au sol et font des tests de voix et d'instrus, pardon, d'instruments. Je regarde autour de moi, c'est ouf, on est comme deux mouches dans un gymnase. Quand je pense que ce soir ce sera noir de monde...

Ricky fait l'idiot sur scène pour nous faire rire, enfin « nous », je sais bien que je pèse pas lourd dans la balance, c'est le cas de le dire. Ma sœur, elle, se fait le coffret *Twilight* en live : fascination, tentation, révélation. Elle fixe Ricky en battant le rythme des chansons avec son pied, et un peu aussi avec son décolleté, la traîtresse.

 **15h46**

C'est sympa l'envers du décor, mais ils re-jouent quatre fois la même intro, s'arrêtent en plein milieu d'un morceau, t'as un spot qui pète et on en prend pour dix minutes, et cette échelle au milieu de la scène, ça gêne personne ?

Là, ils répètent la sortie de la sphère, en-core, et encore, et encore... C'est bon, on a compris. C'est quoi, le problème ? Je jette un œil à ma sœur et hésite à lui remonter le menton pour lui fermer la bouche. Il y a peut-être un truc qui m'a échappé. Je me re-concentre. Non, définitivement, c'est long.

Je demande à Margaux si elle ne pour-rait pas, exceptionnellement, me prêter son iPhone :

– Bien sûr, tiens.

Super ! J'adore ma nouvelle sœur !

– T'as toujours le numéro de Candice ?

Margaux lui a donné des cours d'anglais à un moment.

– Ouais, j'crois.

Je fais défiler ses contacts. Je me rends compte que je ne connais pas la moitié de ses potes. C'est dingue comme on peut vivre sous le même toit et ignorer tout de la vie de sa propre sœur. Je sors mon bloc-notes, photographie l'autographe de Syl et l'envoie à Candice accompagné d'un petit :

Elle me renvoie direct :

Je crois que j'ai marqué des points. Elle arrêtera peut-être de douter de moi! Je suis la besta qui gère!

Je lui réponds:

Et tapatouvu!

????

Keske tu di 2 ça?

Je prends une photo de la scène et lui envoie.

Skype ce soir!!!

ObliG!!!

Moi aussi G du new! G revu le bo gosse...

RDV 20 h dvt l'ordi !!!!!!!!!!!!!!!!

J'ai trop hâte qu'elle rentre de vacances (et qu'elle me prête ce petit vernis à paillettes que j'ai aperçu sur Skype). Les Connections se mettent à jouer mon morceau préféré. Je fredonne le refrain, ce même refrain que je hurlais il y a pas deux jours... avec Nathan... Mon cœur se serre de nouveau... Sans lui, tout ce que je vis là n'a pas le même goût.

La besta qui gère ? Tu parles... Je devais m'excuser et il a fallu qu'on s'ambiance. Je suis trop nulle...

Régis déboule sur la scène :

– C'est bon pour vous ? Parce qu'il est déjà presque 16 heures et je vous rappelle qu'on a une interview dans une demi-heure.

Le concours de Nathan commence dans une heure. Qu'est-ce que je fais là ? C'est pas dans ces gradins que je devrais être, c'est dans ceux du club.

Ricky saute de la scène et vient jusqu'à nous en petites foulées :

– Ça vous dit d'assister à une interview radio ?

Tout ça sans quitter ma sœur des yeux, bien sûr. D'ailleurs, c'est elle qui répond :

– Avec plaisir, carrément !

– Énorme ! On vous embarque alors !

– Merci, mais non en fait.

C'est moi qui viens de dire ça ?... Bah ouais, c'est moi.

– Désolé, mais je dois être à 17 heures à Nice.

Ma sœur me regarde, surprise :

– Première nouvelle ? Où ça ?

– Au club, pour le concours de Nathan.

Visiblement, Ricky n'a pas l'habitude qu'on lui résiste :

– Vous pouvez pas manquer ça, les filles ! On va chanter nos morceaux en acoustique, ça va être mythique !

J'insiste :

– J'imagine, mais vraiment, je peux pas.

Il fait son deuil d'un petit «OK» et s'adresse à ma sœur :

Mais toi tu peux, non ?

Je réponds à sa place :

– Bah non, elle doit me ramener. J'ai 14 ans et demi, hein, j'ai pas le permis.

Ma sœur essaie de me la faire à l'envers :

– Papa m'a dit que vous étiez fâchés, Nathan et toi.

– Justement.

– Justement quoi ?

– Bah, il est temps que je me rattrape.

Voyant que ça ne va pas le faire, Ricky nous claque la bise :

– Bon bah alors, salut les *sisters* et merci d'être passées !

Et il rejoint le groupe sans même se retourner. J'en conclus donc qu'il s'en remettra. Ma sœur aussi, mais elle mettra juste un peu plus de temps.

♥ 16h08

Margaux boude encore alors qu'on s'engage sur l'A8. Je la remercie une nouvelle fois :

– Tu m'as vraiment sauvé la vie.

– N'exagère pas non plus.

– Si, si, c'est pas rien, t'as menti pour moi, t'as loupé une journée de salaire, c'est classe.

– À quoi ça servirait une grande sœur sinon ?

Je lui souris et m'excuse :

– Je suis désolée, je vois bien que t'es dégoûtée.

– Dégoûtée de quoi ?

– De pas être restée.

– Quoi ? Tu rigoles, j'ai pas arrêté de te mettre la pression pour partir.

– C'est ça, tu crois que j'ai pas vu votre coup de foudre ?

– Avec qui ? Avec Ricky ?

– Non, avec le régisseur, bah oui, avec Ricky !

– Ce p'tit pet de lapin ?!

Incroyable. La meuf qui n'assume pas une seconde ! D'ailleurs, elle change de sujet :

– Appelle maman pour lui dire que je te dépose au club.

Je prends mon portable et compose son numéro, pas super à l'aise dans mes Converse. Elle décroche (tant pis) :

– Ouais, m'man, c'est moi...

– Salut, chérie. Alors, t'as trouvé ton bonheur ?

– Mon bonheur ?

– Oui, t'as trouvé un jean qui te plaisait ?

– Ah non, pas du tout. Je t'appelle parce que je suis avec Margaux, là, et je vais voir Nathan à son concours.

– Vous vous êtes rabibochés alors ?

– Hum...

Croisons les doigts.

– ... Je rentrerai avec ses parents si c'est d'accord pour toi ?

– Bien sûr. Hé ! Bravo pour ta chambre ! C'est formidable ! J'avais presque oublié que ta moquette était bleue. Ah, dis-moi, y a trois gros sacs dans le garage, qu'est-ce que j'en fais, je jette ?

– NON !

C'est vrai que c'est aujourd'hui les poubelles !

Ma mère s'étonne :

– Non ?

– Non... parce que... heu... j'ai des remords ! J'ai balancé plein de trucs comme ça sans réfléchir, mais j'ai peut-être eu la main un peu lourde... y a des objets qui m'appellent ! Faut que je refasse un tri !

– Bon, comme tu veux, ma chouquette.

Ça passe ! Ma mère me félicite même une seconde fois. Au moment où je raccroche, ma sœur me lance un petit regard complice :

– Toi, t'as rangé ta chambre dans des sacs-poubelle !

– Ouais, c'est un peu ça.

– J'ai fait exactement la même chose y a quatre ans, j'ai fini par jeter les sacs sans jamais les rouvrir.

– J'te crois pas.

– Tu verras.

N'importe quoi, comme si je pouvais me séparer de mon cahier des Connections...

On passe devant un panneau :

Nice 12 km

Si on se retape des embouteillages à l'entrée de Nice, pas sûr que j'y sois.

L'angoisse...

✯✯★ 17h03!!! Vite!!!

Ma sœur se gare devant le club. Je m'éjecte de la voiture, passe en courant devant l'accueil, longe les box et prends le petit chemin qui mène au manège. Je transpire à grosses gouttes à cause de mon sweat. Au petit matin, il était justifié, mais là, en plein soleil... Sans m'arrêter de courir, je le dézippe, l'enlève et l'attache autour de ma taille. Pourvu que Nathan ne soit pas passé en premier! Les tribunes sont pleines à craquer, ça crie, ça encourage! Si c'est lui, je ne me le pardonnerai jamais! Je pique un sprint, monte l'escalier du gradin quatre à quatre et souffle, dans tous les sens du terme: c'est Fabian et sa jument baie qui sont en train de sauter, enfin sauter, elle vient de refuser l'obstacle, ça sent le retard et les pénalités.

Je repère Nath. C'est le prochain à se présenter. Sous sa bombe, difficile de dire s'il tire la gueule ou s'il étudie le parcours. En tout cas, Véga est splendide. Il a peigné impeccablement sa queue et sa crinière (ça me fait penser à mon petit poney en poils synthétiques roses que j'ai jeté ce matin. Qu'est-ce qu'il faisait là encore à traîner sous mon lit? Au secours, la fille...). Il a grave le swag, Nathan, avec sa veste noire, sa chemise et sa cravate blanches! Et sa selle! Il l'a tellement cirée qu'elle paraît neuve. Et la robe de sa jument! Elle brille, c'est dingue... Bon, peut-être que c'est juste parce qu'elle transpire, elle aussi. Arrête de tout trouver sublime, Louise.

Je me dégotte une place et m'assois en rendant son petit salut à Jean-Christophe, un des profs du club. Il est cool, Jean-Tof. Il me laisse m'occuper de Dary après la reprise du mardi soir. Dary, c'est mon cheval préféré du club. C'est un appaloosa à la robe tachetée, on dirait un cheval de western. J'ai mon petit rituel : je tire le tuyau d'arrosage jusqu'à son box et lui masse les pattes avec le jet d'eau, le brosse avec de la paille, lui cure les sabots, lui glisse un morceau de sucre entre les dents pour le remercier d'avoir été chou, bref, c'est notre petit moment à nous, quoi.

Ça y est, c'est à Nathan ! Je hurle :

– Allez Nath !

Il lève la tête et fouille le public des yeux. Aïe...

Penser à être plus discrète quand on n'est peut-être pas la bienvenue.

Au moment où il me voit, son visage s'illumine. Je me mets à glousser bêtement, puis serre mes deux poings en lui murmurant : « T'es le meilleur ! »

Ses étriers sont réglés au plus court. Nathan ajuste ses rênes, j'ai l'impression d'entendre le cuir craquer entre ses doigts. De ses bottes noires, il donne un petit coup de talon dans les flancs de Véga pour s'engager. Il s'élance sur la piste. Je me crispe. Premier saut impeccable, rien à dire, cascade d'applaudissements. Attention prochain obstacle, une foulée, deux foulées, Véga lève les pattes avant... je fléchis les genoux comme si je sautais en même temps qu'eux. *Yes!* Ils l'ont passé aussi!

Ils sont deux sur la piste et pourtant ils ne font qu'un. C'est trop beau à voir. On entend les sabots de Véga claquer sur le sol. C'est comme une mélodie qui, à chaque obstacle, changerait d'instrument selon qu'il s'agisse d'herbe, de boue ou de sable. Ils enchaînent les obstacles : mur, mur barré, rivière... C'est tellement naturel que ça paraît facile, leur aisance fait complètement oublier les milliers d'heures d'entraînement.

Dernier obstacle, le suspense est à son comble! J'ai envie de me cacher les yeux. Je croise les doigts (et les doigts de pied, ça ne peut pas faire de mal). Je zoome sur le mors de Véga, sur l'écume de ses lèvres, sur les yeux plissés de Nathan, sur la flexion de ses cuisses. La tension dans les gradins est palpable... et... UN SANS-FAUTE!!!! Le public est debout!!!! J'ai les mains à vif tellement j'applaudis.

♡ 19h15

Tout le monde vient boire un coup à la buvette pendant que le jury délibère. Ils sont deux à avoir fait un sans-faute, du coup tout compte: le temps, le nombre de foulées, la technique, tout quoi. Je n'ai qu'une envie: serrer Nathan dans mes bras, mais je le vois de loin discuter avec des gens qui ne sont pas du club. Ils ont des têtes de professionnels. Ce serait tellement cool qu'il se fasse repérer parce que, pour lui, c'est plus qu'une passion, il est vraiment fait pour ça. Je vais me la jouer discrète, ça changera.

Je prends un Coca Zero à la buvette en parlant de Nathan à tout le monde. C'est la première fois qu'un concours amateur est organisé au club, donc je ne suis pas la seule à être surexcitée. Il y a une super-ambiance qui monte encore d'un cran quand le jury réapparaît. Le président du club, monsieur Garnier, un moustachu à nœud pap très sympa, prend le micro, attribue la troisième place, puis la deuxième (*yes*, c'est pas Nathan!), et il termine par ce qui m'intéresse le plus:

– La première place du concours hippique national pour les cavaliers amateurs organisé par la SHN de Villefranche-sur-Mer est attribuée à...

Roulements de tambour.

– NATHAN REGNIAULT !

Je saute de mon tabouret et fais la choré de la joie ! Il monte sur le podium, suivi du deuxième et du troisième vainqueur. Je n'imprime pas leurs visages tellement je ne vois que Nathan. Il me le rend bien.

Penser à arrêter de sourire bêtement.

Je frissonne et me rends alors compte de deux choses : j'ai oublié le sweat de Ricky dans les gradins et, bizarrement, je m'en fiche. Pendant qu'on attend les médailles qui apparemment ont été perdues (j'y suis pour rien), Nathan me fait discrètement signe de me rapprocher. Je rapplique direct. Il s'accroupit et me chuchote :

– Ça me fait plaisir que tu sois venue. En revanche, cette frange, ça ne va pas être possible.

On explose de rire. Qu'est-ce qu'il m'a manqué ! Avec tout ce qui s'est passé ces dernières quarante-huit heures, j'ai l'impression qu'on s'est pas vus depuis mille ans. J'avais même oublié qu'il était aussi beau gosse avec ses taches de rousseur et ses petites boucles blondes en pétard. Le président lui passe la médaille d'or autour du cou et lui serre la main. Nathan retrouve péniblement son sérieux. Pendant que Garnier félicite et décore les deux autres, je fixe Nath. Tout le monde applaudit et là, contre toute attente, Nathan me prend la main, me fait monter sur le podium... et m'embrasse sur la bouche?!

WHAAAAAT!!!!!

Les applaudissements redoublent. Je rougis jusqu'à la racine des cheveux, mais je note quand même qu'il embrasse bien. Très, très bien. Juste... penser à respirer.

Pour connaître la suite
des aventures de Louise,
rendez-vous en librairie dès octobre 2015!

À sa rentrée en seconde au lycée Jacques-Tati à Nice, Louise intègre un groupe pop-rock, les Why Notes, qui aimerait se produire à la fête de la Musique. Nathan, le boyfriend de Louise, vient souvent assister aux répètes et s'amuse à filmer sa copine en train de chanter... À son insu, il envoie sa vidéo au concours de Golden Voice. Louise tombe de très haut (1 m 59) quand la production l'appelle pour passer le casting.

Commencent alors les étapes tant redoutées et tant médiatisées de ce télé-crochet. Ses parents la laisseront-ils y participer ? Aura-t-elle un mental assez fort pour résister à cette pression ? Jusqu'où ira-t-elle ?

Vous le saurez en lisant... *golden Voice* !

L'illustratrice

Diglee est une *fashion addict*. Elle aime beaucoup illustrer des livres pour les préados et les ados. Elle est notamment connue pour ses bandes dessinées *Forever bitch*, *Autobiographie d'une fille GAGA* et *Confessions d'une glitter addict*.

Les auteures

Charlotte Marin, comédienne et chanteuse, a été découverte par le grand public en première partie des concerts du chanteur Bénabar. Elle a sorti trois albums et s'est produite partout en France. Elle double aussi des comédiennes (comme Katherine Heigl) dans des séries et des films.

Marion Michau écrit des chroniques pour la presse féminine. Elle est également scénariste pour la télé (*En famille* sur M6) et travaille avec Charlotte Marin sur tous ses spectacles et ses albums.

Ensemble, Charlotte Marin et Marion Michau ont déjà écrit deux romans pour adultes. Elles travaillent actuellement à un scénario tiré du premier de ces romans, qui sera prochainement adapté au cinéma. Elles s'essaient ici avec beaucoup de bonheur à l'écriture pour adolescentes.

Rejoignez Louise
sur facebook.com/BlocNotesDeLouise
et blognotesdelouise.fr

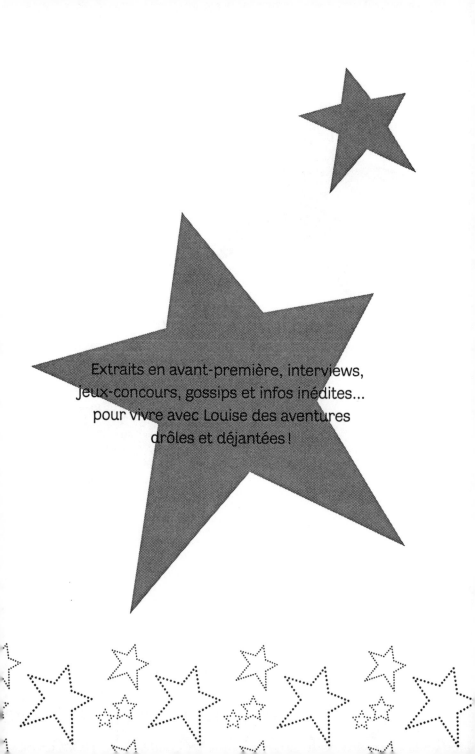

Extraits en avant-première, interviews, jeux-concours, gossips et infos inédites... pour vivre avec Louise des aventures drôles et déjantées !

Remerciements

Merci à Karine Van Wormhoudt d'avoir fait tomber le premier domino de cette belle aventure et de nous avoir ensuite si finement guidées et encouragées, merci à Marion Jablonski pour sa confiance et sa bienveillance et, plus généralement, merci à toute l'équipe d'Albin Michel Jeunesse qui nous a accueillies dans la joie, l'efficacité et la bonne humeur.

Merci à nos premiers lecteurs : Anna Salaün, Jeanne Michau et Gaston Decremps.

Merci aux libraires Stéphanie Malléa et Marion Tattevin et à tous les représentants qui nous ont soutenues.

Et merci à nos parents, Anne, Michel, Martine et Alain, de nous avoir offert cette enfance et cette adolescence que nous avons tant de plaisir à revisiter pour donner vie à *Louise*.

Impression CPI Bussière, en mai 2015
ISBN : 978-2-226-31545-8
N° d'édition : 21665/01
N° d'impression : 2014845
Dépôt légal : juin 2015
Imprimé en France